Михаил Крепс

О поэзии Иосифа Бродского

Ardis, Ann Arbor

328435

Ardis Publishers
2901 Heatherway
Ann Arbor, Michigan 48104

ISBN 0-88233-584-7
ISBN 0-88233-585-5

СОДЕРЖАНИЕ

ПРЕДУВЕДОМЛЕНИЕ

Из этой книги читатель не узнает, в каком доме и на какой улице родился будущий поэт, была ли у него няня, рассказывавшая ему русские сказки, как рос и развивался маленький любознательный Иосиф, кем были его родители, как он учился и чем увлекался, при каких обстоятельствах бросил школу, где работал, каким нервным заболеванием болел, когда начал писать стихи, зачем ездил в геологические экспедиции, с кем хотел угнать самолет, как оказался напечатанным в "Синтаксисе", как познакомился с М.Б. и что из этого вышло, о чем беседовал с Ахматовой, при каких обстоятельствах был осужден за тунеядство, как жил в ссылке в Норенской, кто участвовал в любовном треугольнике, когда заинтересовался зарубежной поэзией, кому посвящал стихи, с какими поэтами и переводчиками встречался, от кого у него сын, как начальник ОВИРа предложил ему покинуть родину, кто его встретил в Европе, как он оказался в Америке, с кем дружит и кого любит в настоящее время.

Это книга о поэзии Иосифа Бродского.

ОТ АВТОРА

Выражаю благодарность моим старшим коллегам по славистике -- Семену Аркадьевичу Карлинскому, профессору Берклейского университета, и Всеволоду Михайловичу Сечкареву, профессору Гарвардского университета, которые, ознакомившись с книгой в рукописи, сделали ряд ценных замечаний и поправок.

Марине Крепс,
без которой бы эта книга
осталась пачкой чистой бумаги.

О ПОЭЗИИ ИОСИФА БРОДСКОГО

I. ПОПУГАЙСТВО И СОЛОВЕЙСТВО

1. Лирика и метафизика

Каждый большой поэт преодолевает традицию -- это его
шаг (порой скачок) в будущее, своеобразное попирание законов
времени и пространства, на каждом шагу расставляющих человеку ловушки, в которых соблазнительно, а порой неотразимо,
сверкает приманка разноцветного, апробированного и понятного
"сегодня". Преодолевание поэтической традиции вырастает в
сознательный акт самоэмиграции -- поэт покидает свою духовную родину, то есть самое любимое, и уходит в поисках лучшей,
дорог к которой, однако, он не знает -- их придется проклады-
вать самому, а куда еще они его $\frac{при}{за}$ведут и, главное, доведут
ли, он сам, находясь все время в пути, не может с уверенностью
сказать. Однако одно он знает твердо -- новая духовная родина намного выше прежней, но и она не конечна, за ней сле-
дуют другие и другие, и это, скорее, не лестница, а движение
вверх по спирали, воплощающей одновременно и продолжение и
отталкивание, а посему путь большого поэта -- всегда стремление к недостижимому идеалу. Иосиф Бродский движется по этому пути семимильными шагами.

Преодоление традиции чаще всего критики замечают в форме -- оно и понятно: легче заметить новое в ритмах, рифме,

размерах, метафоричности речи, сравнениях, нежели в самой тематике поэзии (здесь я пользуюсь понятиями формы и содержания вовсе не для того, чтобы дразнить гусей от критики, пришедших к более емкому понятию "структуры", а для удобства анализа). Именно традиционная тематика в поэзии и является камнем, постоянно тянущим поэта в сферу банального. Преодолеть банальное содержание для поэта -- это не только найти свой голос, но и найти себя самого, себя не только певца, но и творца, то есть стать равным Богу не только по подобию, но и по сути.

Бродский -- злейший враг банального. Ему уже не страшны рифы традиционной любовной лирики или пейзажных зарисовок ради них же, где поэт, спрятанный за кустами, зачастую невольно обнаруживает себя ("смотрите, какой у меня зоркий глаз!"), ни подводные камни дидактизма, старающегося вылепить из поэта некоего мудрого учителя жизни, знающего как, куда и зачем идти. Не прельстился Бродский и соблазном прямого высказывания своей политической платформы, или критики чужой в лоб -- соблазном, частично погубившим и погубляющим многие стихи поэтов не без таланта.

Начиная жить поэзией Бродского, видишь, что вообще мелочных тем она чурается; "мелочь жизни", пустяк, случайное всегда в конечном счете находит себя звеном в накрепко спаянной цепи необходимого, ведущей в глубинное, коренное, становится единственной и неповторимой приметой времени.

Через и посредством мелочей раскрываются подходы к основным никогда неразрешимым вопросам человеческого и, шире, любого материального и духовного существования во времени и пространстве. Эта вечная нацеленность Бродского на подход к решению глубинного (подход, ибо решения нет и не будет) и есть его поэтическое оригинальное кредо.

Вот, например, стихотворение о доме, начинающееся строкой "Все чуждо в доме новому жильцу...".[1] Обычно поэтически грамотный читатель при таком начале может предположить, предсказать возможные продолжения, более или менее в духе существующих поэтических традиций: это может быть стихотворение о переезде в новый дом, как способ выразить тоску по старому и вообще повод разговора об утраченном прошлом -- детстве, любви, потере близких и т.п., или, скажем, в метафорическом плане это могло бы быть стихотворение об эмиграции или вообще о чужбине, как материальной, так и духовной. Или об изначальной чуждости человека чему-либо, а потом к его неизбежному постепенному привыканию или, наоборот, стремлению вырваться из этой чуждости. Настоящий же поэт необходимо должен разрушить весь разброс возможностей предсказуемости текста, тогда и только тогда он начнет движение по пути преодоления смотрящей на него из всех углов банальности.

В первом же четверостишии, во второй его половине, и найден такой поворот. Поэт заставляет не лирического героя давать оценку дому, но сам дом (и его вещный мир) взглянуть

на нового жильца; происходит как бы перестановка традиционных отношений: олицетворенная вещь получает возможность видеть и оценивать в свою очередь овеществленное лицо. Как мы
увидим в дальнейшем, тема человека и вещи является одной из
центральных в поэтическом мире Бродского:

> Все чуждо в доме новому жильцу.
> Поспешный взгляд скользит по всем предметам,
> чьи тени так пришельцу не к лицу,
> что сами слишком мучаются этим.

Вещи мучаются тем, что новый жилец не сможет ни оце-
нить их, ни принять, -- вещи, составляющие дом, который становится полноправным лирическим героем во второй строфе:

> Но дом не хочет больше пустовать.
> И, как бы за нехваткой той отваги,
> замок, не в состояньи узнавать,
> один сопротивляется во мраке.

В третьем четверостишии именно дом (а не герой и не
всезнающий автор) рассказывает читателю о прошлом своем оби-
тателе, сравнивая его с нынешним:

> Да, сходства нет меж нынешним и тем,
> кто внес сюда шкафы и стол и думал,
> что больше не покинет этих стен,
> но должен был уйти; ушел и умер.

В этой строфе совершается не только поворот точки зрения, о котором упоминалось выше, но и поворот темы -- ее переход в метафизический план, к теме бренности человеческого
существования вообще, в план чувственный -- крушение человеческих надежд: "думал, /что больше не покинет этих стен", --
то есть в ту сферу, где каждый читатель имеет возможность целиком отождествить себя с чувствами героя, а говоря о стихе,

там, где совершается переход из случайного личного в общечеловеческое. Заметим и вторую перемену точки зрения: дом передает настроение человека, покинувшего его.

Дальнейшее читательское восприятие, уже привыкшее и принявшее новую точку зрения, начинает лихорадочно работать, прикидывая возможные варианты продолжения: старый хозяин будет сравниваться с новым, в пользу того или другого, будет показано отношение других вещей к новому жильцу (или раскроется их отношение к старому), какая-нибудь одна особенная вещь привлечет внимание, даст повод для продолжения темы в метафизическом ключе и т.п. Все эти варианты при их банальности теоретически возможны, но главное, что чувствует читатель, это их недостаточность (в том виде как он их представляет) для удержания стихотворения на метафизическом уровне. Раз стихотворение вышло на этот уровень, оно должно держаться, -- продолжение по инерции, топтание равнозначно падению и потому неприемлемо, а взлет хоть и ожидаем, но непредсказуем. Тут-то Бродский и оглушает читателя новым последним и блестящим поворотом: точка зрения опять изменяется -- заключение дается от имени самого поэта, соединяющего (вопреки своему же утверждению!) героев стихотворения -- старого и нового хозяина третьим своим героем -- домом:

> Ничем уж их нельзя соединить:
> чертой лица, характером, надломом.
> Но между ними существует нить,
> обычно именуемая домом.

Эта нить, соединяющая в формальном плане все четыре

точки зрения -- нового жильца, дома, старого жильца и автора, (а наряду с этим и тематически -- все строфы),становится стальным стержнем стихотворения, поднимающего его содержание до философского обобщения,где само понятие "дома-нити" начинает включать в себя массу других: семья, родина, искусство, поэзия, планета людей, жизнь и смерть, преемственность и разобщение поколений, жизнь человека и ее цель, взаимное притяжение и отталкивание вещного и духовного мира, проблемы сходства и различия,патриотизма и космополитизма (в нормальном досталинском понимании) и многие другие.

Конец стихотворения немедленно задает и начало работе механизма обратной связи -- в уме читателя образы стихотворения начинают переосмысляться в свете нового метафизического взлета, наполняться другим более емким содержанием, "шкафы и стол", внесенные в дом старым жильцом, воспринимаются шире, как результаты труда, или еще шире -- вещное и духовное наследство. Стихотворение в результате этой обратной связи начинает как бы опровергать себя, становится своей антитезой: "новый жилец", "пришелец", "нынешний" оказывается в конечном счете своим, родственником, хранителем и продолжателем духовного наследства, которому не все чуждо в доме. Так от тезы к синтезу и к последующей антитезе выстраивает Бродский стройную геометрическую фигуру стихотворения.

Следует заметить, что преодолевать традицию не всегда означает опровергать ее. Это сложный процесс со своими законами уступок и отвержений. Многими Бродский воспринимается как поэт, поставивший себя вне русской поэтической традиции --взгляд коренным образом неверный и несправедливый. Однако понять само возникновение такой точки зрения не представляется затруднительным -- Бродский является новатором стиха не только в тематике, но и в ритме, в рифмах, в метафорах, в эпитетах, в отказе от стилистически дифференцированного языка поэзии в отличие от языка прозы, и все это новаторство подается в крепкой спайке с содержанием, так что как раз у Бродского содержание и форма и становятся равными самому себе, то есть той неотъемлемой структурой, которую мы прежде ставили в кавычки.

Вообще "новатор рифмы" -- понятие, нуждающееся в уточнении. В принципе придумать рифму от самой точной до самой неточной -- дело, доступное любому грамотному (т.е. знающему, что такое рифма) человеку, для этого не обязательно быть поэтом. Следовательно, главная техническая (если можно так выразиться) задача поэта -- связать рифмы контекстом, и не просто понятным контекстом, но контекстом поэтическим. Это в конечном счете есть, было и будет (в рамках рифменного стиха) основной заботой и основной трудностью поэта.

Иногда связывание рифм непоэтическим или псевдопоэтическим контекстом поэты называли экспериментаторством (см. опыты Брюсова или футуристов), как бы молчаливо соглашаясь, что это лишь игра, проверка рифм на холостом ходу, подобная проверке колес машины в условиях гаража, коий обычно именовался "лабораторией поэта". Такое эксперименаторство в принципе мало отличается от плохого стихотворения, о котором говорят, что все там "для рифмы". Но в том-то и дело, что в рифменной поэзии и на самом деле все для рифмы, однако при цементировании ее поэтическим контекстом, рифма (новаторская или не новаторская) становится органичной неотъемлемой частью стиха, а при склеивании ее чем попало, торчит как перо из тирольской шляпы, играющее своими красками на фоне серой материи, вернее, не столько играющее, сколько на фоне. Именно тогда поэт становится новатором рифмы, когда она становится органической чертой его стиля, то есть задействована не в каких попало, а в его лучших поэтических контекстах.

Составная рифма, например, известная русской поэзии как в виде каламбура (Мятлев, Минаев), так и в различных других вариантах, а в начале двадцатого века широко употреблявшаяся поэтами-футуристами, становится у Бродского одной из примет его стиля. Однако дело не в том, что она употреблялась или была известна до Бродского и что не он ее выдумал, а в том, что впервые за всю историю русской поэзии она перестала восприниматься как некий экзотический и чужеродный элемент.

Действительно, в девятнадцатом веке такая рифма была исключительно приемом шуточной поэзии: "Область рифм -- моя стихия /И легко пишу стихи я." Минаева,[2] или "Вот-с господин Аскоченский, /Извольте-с вам наточен-с кий!" Мея,[3] а в нача-

ле двадцатого без особого успеха вводится в стихи Маяковским и Асеевым, ни у одного из них по-настоящему органично
не звуча: "А в небе, лучик сережкой вдев в ушко, /звезда
как вы, хорошая, -- не звезда, а девушка."[4] У Асеева: "Он
мне всю жизнь глаза ест, /дав в непосильный дар ту, /кто,
как звонок на заезд, /с ним меня гонит к старту."[5] Знаме-
нитое: "Лет до ста расти /вам без старости"[6] -- неуклюже с
точки зрения смысла, где "расти" употреблено вместо "жить".
Из их лучших поэтических контекстов составные рифмы исклю-
чены, то есть, иными словами, эксперимент так и не вышел из
стадии эксперимента.

Только лишь у Хлебникова составная рифма становится
более или менее постоянной чертой его поэтического стиля,
однако и у него дотоле в высшей степени поэтический контекст
вдруг перебивается сырым примером эксперимента, если не в
составной рифме, то в чем-нибудь другом:

> И кто я, сын какой я Бульбы?
> Тот своеверный или старший?
> О больше, больше свиста пуль бы!
> Ты роковой секир удар шей!
>
> ("У", 43)[7]

Пастернак редко пользовался составной рифмой, но у него можно найти примеры гармонического ее применения:

> Вырываясь с моря, из-за почты,
> Ветер прет на ощупь, как слепой,
> К повороту, не смотря на то что
> Тотчас же сшибается с толпой.
>
> ("Лейтенант Шмидт")[8]

Однако у Пастернака составная рифма не стала составляющей его стиля, он не увидел в ней интонационно-выразительных возможностей, не оценил ее потенциала. Отметим и то, что в данном примере Пастернака составная рифма включает служебное слово -- наиболее естественную и в то же время семантически не перегруженную часть речи.

Приводить примеры составной рифмы Бродского без контекста как-то не поднимается рука, да и в таком виде приводить их бесполезно -- они ничем не будут отличаться от своих предшественниц. Выискивать строчки с удачным применением подобной рифмы тоже не получается, во-первых, потому что удачные строчки встречаются у плохих поэтов -- у хороших поэтов встречаются удачные стихи, во-вторых, отрывок у Бродского является обрывком смысла по отношению ко всему стихотворению, и произвольное его цитирование весьма смахивает на любимое занятие опричников Ивана Грозного, а в-третьих, и в основных, составная рифма Бродского тем и интересна, что неинтересна, в ней нет лихой сногсшибательности ее старших сестер, ибо она органична и ненавязчива -- одна из возможностей среди десятка других возможностей, использование ее ненарочито и совсем не всегда подчеркивается ее регулярной встречаемостью в регулярных местах. Более того, не в ней дело, а в смысловых ходах контекста, важность и серьезность которого не позволяет вниманию отвлечься и думать о форме, отчего изощреннейшие технические достижения Бродского (и не только в области рифмы) остаются незамеченными, о них не думают, как не думают ни о планах, ни о кирпичах великолепного здания, называя все незамеченное достойным словом гармония. Такое употребление составной рифмы характерно для стихотворения "Шиповник в апреле",[9] разбором которого я продолжу тему преодоления традиции и оставлю на время тему рифмы.

Тема "человек и цветок" и, шире, "человек и растение", по-видимому, так же стара, как и сама поэзия, ибо именно в мире растений человек заметил то, чего не находил в мире животных, к которому принадлежал -- возможность вновь обрести жизнь в тех же самых формах, то есть, практически, в том же теле. Сама мысль о возможности возрождения (воскресения), будучи самой заветной мечтой человечества, не возникла ли в связи с его попыткой осмыслить свое единство с растительным миром, свою скрытую и тайную (как и для растения?) природу, может быть, открывающую возможность для хоть какой-нибудь формы существования после смерти.

С другой стороны, растительный мир по сравнению с животным открывал намного более широкие возможности для той гаммы человеческих ощущений, которая именуется областью эстетического: красота окружающего мира для человека -- это в первую очередь растения с неисчерпаемостью сочетаний их видового и цветового разнообразия, с одной стороны, и почти идеальным воплощением идеи мирного сосуществования, с другой.

Был еще и третий аспект, привлекавший поэтов к расти-

тельному, а не к животному миру -- процесс старения и увядания деревьев и цветов был удивительно схож с человеческим,
цветы вяли и опадали на глазах,деревья меняли краски и те-
ряли листья, в то время как животных человек наблюдал только в их здоровом, цветущем состоянии -- их старение, болезни и естественная смерть происходили за пределами его чувственного опыта.

По всему поэтому с точки зрения поэтического сознания
и вопреки научному растительный мир оказывается намного ближе человеку, чем мир животных, и если первый явился объектом
поэтического внимания, воплотившись в жанрах лирического, второй (за исключением рыб, птиц, мотыльков и кузнечиков -- рев-
ность к беззаботности и приспособленности к чуждой человеку
среде) оказался пригодным лишь для эпоса и басни -- форм практически изживших себя с точки зрения современной поэзии.

Перечислить даже самые знаменитые произведения русской
поэзии, написанные в ключе темы "человек -- растение" не представляется никакой возможности, не говоря уже о литературе
иностранной. Из поэтов наиболее близких нашему времени теме
увядания природы и красоте и грусти, связанных с этим увяда-
нием, посвящена большая часть лирики Анненского (поэт как бы
расширяет вверх и вглубь пушкинское "Люблю я пышное природы
увяданье /В багрец и золото одетые леса..."), во многих стихах Есенина человеческое старение поставлено в параллель к
природе: "Облетает моя голова /Куст волос золотистый вянет."

Идея перевоплощения и воскресения, пожалуй, лучше всего выражена у Ходасевича в его стихотворении "Путем зерна",[10] которое построено как развернутое сравнение:

> Проходит сеятель по ровным бороздам.
> Отец его и дед по тем же шли путям.
>
> Сверкает золотом в его руке зерно.
> Но в землю черную оно упасть должно.
>
> И там где червь слепой прокладывает ход,
> Оно в заветный срок умрет и прорастет.
>
> Так и душа моя идет путем зерна:
> Сойдя во мрак, умрет -- и оживет она.
>
> И ты моя страна, и ты, ее народ,
> Умрешь и оживешь, пройдя сквозь этот год, --
>
> Затем, что мудрость нам единая дана:
> Всему живущему идти путем зерна.
>
> 1917

Знаменитый пушкинский "Цветок" интересен как пример
возможности переключения поэтического внимания с цветка на
человеческую судьбу:

> И жив ли тот, и та жива ли?
> И нынче где их уголок?
> Или они уже увяли,
> Как сей неведомый цветок?[11]

Дело искать влияния, вдохновление идеями, преемственность или поэтическую перекличку (если для этого нет прямых
объективных данных) -- не всегда благодарное, в первую очередь потому, что мы слишком упрощаем в нашем представлении
процессы художественного творчества. Поэт может получить
толчок к написанию стихотворения через какое-нибудь явление,
деталь, слово, не имеющее впрямую отношения к тому, что он

выражает, с другой стороны, (и это очень частое явление в поэзии) поэты приходят к близкой трактовке темы самостоятельно, иногда не только не имея представления о другом поэте, но даже не зная его имени.

В-третьих, новое стихотворение оказывается новым не столько количественно -- накопление, сколько качественно -- скачок (только о таких и стоит говорить), а это уже действительно новое стихотворение, то есть, если влияние и имело место, то оно одновременно символизирует и влияние и преодоление его. И, наконец, (а, быть может, самое главное) новое стихотворение -- это новая словесная, ритмическая и интонационная структура -- то есть рождение данного и только данного поэта, так как если и в этом есть общее, то это уже не перекличка, а подражание.

Говорить о влияниях на Бродского еще сложнее. В русской поэзии главным образом ученик Цветаевой, он проработал и ассимилировал многие черты русской поэзии вообще от классицизма до футуризма, поэтому в равной мере мы можем рассуждать о влиянии на него как Державина, так и Хлебникова. Вообще в случае Бродского, говоря о влиянии русских поэтов, знаешь тверже кого исключить, нежели кого именно включить. К тому же (а, может быть, и опять -- во-первых) Бродский -- прекрасный знаток европейской поэзии "от Ромула до наших дней" и безусловно испытал влияние современных поляков с их ироничностью, почти совершенно до Бродского неизвестной в

русской поэзии после Пушкина, а также метафизиков-англичан,
горячим поклонником которых он всегда был. Вероятно, именно английская метафизическая традиция 17 века (от Донна до
Батлера) наиболее отчетливо слышна в стихах Бродского и настолько нова и оригинальна для русского уха, что воспринимается как отход от русской классической традиции, хотя это
совсем никакой не отход, а скорее приход.

Возвращаясь к нашей теме "человек -- цветок", если и
можно усмотреть преемственность "Шиповника" от чего-либо,то
скорей от "Цветка" Джорджа Герберта, нежели от русских источников (вернее, гербариев). Стихотворение английского поэта строится как апология Богу, а по структуре является повторяющимся развернутым сравнением человека с цветком. Приведем вторую строфу этого стихотворения, как наиболее интерес-
ную для нашего анализа:

> Who would have thought my shrivel'd heart
> Could have recover'd greennesse? It was gone
> Quite under ground; as Flowers depart
> To see their mother-root, when they have blown;
> Where they together
> All the hard weather,
> Dead to the world, keep house unknown.
>
> (The Flower)[12]

В стихотворении Бродского прежде всего оказывается
отмеченной сама традиция любования цветком как тема для поэзии уже исчерпанная, во всяком случае, в ее банальном ва-
рианте. Да и шиповник у него вовсе не цветок, а куст, да
к тому же еще кривой и голый, так как дело происходит в апреле. Интересно отметить и сам выбор куста (цветка), ведь

шиповник -- это, в сущности, роза (пренебрегая поправкой на дикость).

Однако, роза давно скомпрометирована как в мировой, так и в русской поэзии на предмет ее лирического промискуитета. К тому же, в ней много традиционно впитанных женских черт: красота, избалованность, коварство (с шипами), капризность и вообще наклонность к любви во всех ее тонких переживаниях (все стихи и поэмы о ее взаимоотношениях с соловьями и с другими представителями пернатого и непернатого царства). Бродский не собирается в этом стихотворении говорить о любви, он выбирает героем шиповник и при этом не дает ему никакого любовного партнера. Отметим, что роза в общем не подходила Бродскому для стихотворения еще и в силу того, что она женщина, т.е. пассивное, принимающее начало (не в обиду феминисткам будь сказано, ибо традиция сложилась задолго до женского движения), шиповник же -- мужчина -- начало активное, посмотрите как в самом слове нагло торчит его кривой шип. Новым по сравнению с литературной традицией цветка и является эта мужская активность в деле ежегодного возрождения: не его возрождают (Бог, природа)а он возрождает сам себя, для этого ему и необходимо обладать точной памятью (генетической) о прошлых цветениях:

> Шиповник каждую весну
> пытается припомнить точно
> свой прежний вид:
> свою окраску, кривизну
> изогнутых ветвей -- и то, что
> их там кривит.

Заметим, что анжамбеман в пятой строке выполняет не только ритмико-синтаксическую, но и семантическую роль, как бы подчеркивая кривизну, о которой говорится, а составная рифма создает почти физическое ощущение неудобства от присутствия какого-то постороннего, мешающего прямо расти объекта, -- эффект, достигаемый, по-видимому, тем, что данная составная рифма является одновременно и переносом.

Если в первой экспозиционной строфе представляется лирический герой, то во второй дается место действия -- ограда сада:

> В ограде сада поутру
> в чугунных обнаружив прутьях
> источник зла,
> он суетится на ветру,
> он утверждает, что не будь их,
> проник бы за.

Чугунные прутья ограды -- преграда для шиповника непреодолимая, тем не менее он активно сопротивляется ей, отвергая непротивление как тактику недостойную и для него неприемлемую. Стойкость духа шиповника становится сродни толстовскому татарнику из "Хаджи Мурата" (пример торжества художника над собой же проповедником).

Это сопротивление шиповника (хотя в данной строфе пока что только словесное), передается на фонетическом уровне резкими сочетаниями согласных в слогах "тру-- пру-- утр-- утвер--", передающих спрятанное значение сопротивления, трения, трудностей.

В то же время автор, ставший на время собеседником шиповника, передает с некоторой долей иронии его слова: "он утверждает, что не будь их, /проник бы за", раскрывающие нам шиповник как тип человека, который обязательно должен найти "источник зла", свалить все неприятности на внешние причины, при отсутствии коих он был бы способен на гораздо большее. Ирония тут в том, что читатель, как и автор, знает, что шиповник не только человек, но и растение, и далеко "за" ему не проникнуть.

Две последних строки вообще очень динамичны, частично эта динамика создается составной рифмой "будь их", весьма напоминающей брань своей экспрессией, краткостью и фонетическим составом; частично -- суетливо-раздраженной недоговоркой того, за что собственно он мог бы проникнуть -- концовка для строки крайне оригинальная и непредсказуемая. О предсказуемости, кстати говоря, в стихах зрелого Бродского речь уже и не идет -- читатель просто, потерявшись в догадках, искренне признается -- не знаю. Даже если ему что-то и удается частично предсказать, это неминуемо разрушается последующим поэтическим контекстом. Все это касается предсказуемости как тематической, так и технической.

В третьей строфе и происходит такой в высшей степени непредсказуемый поворот темы:

> Он корни запустил в свои
> же листья, адово исчадье,
> храм на крови.
> Не воскресение, но и
> не непорочное зачатье,
> не плод любви.

С одной стороны, это поворот как бы в уже знакомую тему возрождения, но она тут же отрицается -- действительно, та часть куста, которая умирает, -- умирает навсегда, а та часть куста, о которой идет речь, и не умирала никогда. То, что казалось простым Анненскому, не удовлетворяет Бродского. Идет он и дальше Джорджа Герберта. У последнего, как мы помним, цветы опадают, чтобы пережить с матерью-корнями суровую зиму, а дальше что с ними происходит? Герберт избегает ответа на этот вопрос, переключая тему стихотворения на лирического героя.

Бродский же рисует зловещую картину пожирания корнями своих листьев, поворот, приведший бы Герберта к идее педофагии при последовательном развитии его метафоры. Таким образом, Бродский разрушает идею простого воскресения как красивую иллюзию. Шиповник из божественного миропорядка (вместе с примитивно понятой идеей воскресения) устраняется, становясь "адовым исчадьем", и "храмом на крови" -- выражение, которое следует понимать буквально, то есть не "спаса на крови", а на крови построенного. Такое возникновение новой жизни не сообразуется ни с какими известными человечеству способами (гипотезами) -- ни с языческим воскрешением, ни с христианским непорочным зачатием, ни с зачатием "порочным". Перенос с первой строки на вторую и тут играет семантическую роль, передавая одновременно резкость и жестокость акта: "в свои /же листья", и взлет интонации неприятного удивления.

В следующих двух строфах нарастает семантика агрес-
сивности шиповника. Оказывается, что он обладает каким-то
военным рангом, метафора "мундир" переводит его из разряда
суетливого шпака в разряд воина, а следующая строфа снабжа-
ет его оружием-иглой, с которой он бесстрашно идет против
орудия ограды -- копья чугунного. Однако агрессивность шиповника имеет в основе своей не нападение, но самозащиту,
вернее, борьбу за выживание в этом "недостоверном" мире,
ведь все усилия шиповника диктуются стремлением предохра-
нить будущую зелень и бутоны.

Ироническая струя, однако, продолжает действовать и
даже усиливается, так как солдат-то он все-таки "бумажный"--
ему не совладать с оградой, которая является воплощением
грубой и слепой (в исконном значении) силой, так как она,
будучи неживой природой, индифферентна к миру сама по себе
и должна бы восприниматься здравым смыслом как нечто непре-
одолимое, с чем бороться абсолютно бесполезно. Ирония завершается концовкой предпоследней строфы, которая продолжает оставленную на время линию второй, -- стремление шиповника найти хоть какой-нибудь "источник зла" -- козла отпу-
щения, мертвую природу за неимением живой:"другой /апрель
не дал ему добычи / и март не дал".

В целом у читателя остается двойственное впечатление
от усилий шиповника: здравый смысл иронизирует над беспо-
лезностью этой борьбы, живое же чувство восхищается ее от-

вагой. Эта двойственность создается отчасти и глаголами

действия, пронизывающими каждую строфу: "пытается припом-

нить", "суетится", "корни запустил", "проверяет мир", "ме-

чется в ограде", которые отражают как целенаправленные, так

и хаотические действия (состояние аффекта).

Однако, хотя читатель частично и идентифицирует себя

с шиповником, смотря на мир его глазами, иронизирование над

его действиями все-таки оставляет заметное расстояние между

ними, выражающееся в некоторой затекстной насмешке над дей-

ствиями куста. Здесь позиция читателя совпадает с автор-

ской (вернее, автор-то и настроил читателя на подобный лад),

поэтому законным кажется и опровержение такого отстранения[13]

в начале последней строфы ("И все ж" -- то есть вопреки по-

верхностному впечатлению), где отстранение замещается сопере-

живанием:

> И все ж умение куста
> свой прах преобразить в горнило,
> загнать в нутро
> способно разомкнуть уста
> любые. Отыскать чернила.
> И взять перо.

Негативная оценка "адово исчадье, храм на крови" за-

меняется в конце стихотворения апофеозом умению куста "свой

прах преобразить в горнило". Само это слово, означающее печь

для переплавки, знаменует сложнейшие процессы, происходящие

с прахом в "нутре" куста, механически и метемпсихически куда

более сложные, чем упрощенно (в силу слабости человеческого

ума) представляемые воскресение или непорочное зачатие.

Конец стихотворения является неожиданно и оригинально. Исчерпав саму тему, Бродский уклоняется от проведения параллелей между судьбами человека и растения (как, скажем, у Герберта и Ходасевича), считая ее само собой разумеющейся, а следовательно, -- лишней. Со стороны Бродского это одновременно и высокая требовательность к себе как к поэту, и щедрость к читателю, которого поэт не считает за профана, нуждающегося в разжевывании очевидного. Вместо этого точка зрения шиповника отметается, поэт говорит от себя впрямую, о своем впечатлении, которое заставляет его "Отыскать чернила. /И взять перо." Стихотворение заканчивается, чем оно началось -- пустой бумагой и поэтическим вдохновением, еще не материализовавшимся, ведь взять перо -- это не значит написать. Читатель отправляется к началу. Так кольцевая структура стихотворения обнаруживается там, где ее нет.

Открытый конец стихотворения в смысле неразжевывания параллелей предоставляет читателю большую свободу в восприятии текста на метафорическом уровне: деятельность шиповника может восприниматься не только как оная человека, но и шире (не у́же!) -- поэта, при мысленном развитии читателем возможного подразумеваемого сравнения: Так и поэт...

Действительно, поэт, как и шиповник, есть "храм на крови", переплавляющий "свои же листья" ради собственного же возрождения. При этом сама "истинность" или "ложность" такого толкования, с точки зрения его присутствия в сознательном творческом акте, для читателя абсолютно несущественна, коль скоро текст позволяет понять себя и в таком ключе. Выпуская живой организм стихотворения из клетки на волю, поэт уже не несет ответственности за его бытие во времени, то есть не знает заранее, что с ним случится в будущем и какие дополнительные смыслы ему удастся нарастить, видоизменить, а порой и утратить. Читатель, будучи в какой-то мере соавтором, привносит что-то свое, новое; дополнительные смыслы возникают в результате эффекта столкновения читательского восприятия с текстом -- процесс активный, по сравнению с пассивным чтением просто. Органическая способность одного и того же текста иметь несколько толкований в зависимости от читателя, века, национальной культуры и т.п. и обеспечивает ему жизнь во времени и свободное безвизное передвижение в пространстве.

Таким образом, стихотворение -- форма борьбы поэта со временем, из которой он должен выйти победителем. Успех этой борьбы зависит частично и от последующего творчества -- с каждым стихотворением поэт расширяет сферу своего видения, при этом происходит эффект обратной связи -- новые стихотворения бросают свет на старые, видоизменяют и дополняют их, делая невозможные ранее толкования возможными. Так поэт может улучшить свои старые стихи, ничего в них не меняя.

Возвращаясь к юношескому "Все чуждо в доме...", о котором речь была выше, читатель может не согласиться с дан-

ным толкованием и выдвинуть другое, если он поймет в нем
слово "умер" метафорически -- т.е. духовно умер. Тогда это
будет стихотворение об одном и том же лице, возвращающемся
в свой старый дом, ставший для него чуждым после долгой разлуки (война?, тюрьма?). Таким образом, обязательных толкований нет и быть не может, вариативность понимания -- компро-
мисс активного читательского восприятия с поддаваемостью художественного текста. Разумеется, эта поддаваемость имеет
свои границы, обусловленные семантической структурой текста,
не позволяющие разгулявшемуся в своем воображении читателю
вырваться "за".

Анализируя стихотворение "Шиповник", мы забыли сказать
о самом главном элементе, который его двигает -- ритме. Ритм --
пульс стиха, и новаторство Бродского в этой сфере поразительно. В конечном счете ритм, как ни странно, формирует как
стих, так и самого поэта. Мне не хочется вдаваться здесь в
технические проблемы метрики, подсчитывать ударения, анакру-
зы, паузы и клаузулы и рисовать графики, которые все равно
не смогут передать живую интонацию. Ведь даже написанные
одним размером стихи бывают настолько разными, что общность
их обнаруживается только при расставлении ударений для определения размера. Иные же как бы становятся принадлежностью
данного одного поэта, так как он сумел создать непревзойден-
ный поэтический контекст, пользуясь им. В силу этого стихотворение, написанное размером мандельштамовского "Ленингра-

да": "Петербург! я еще не хочу умирать: /У тебя телефонов моих номера.",[14] будет звучать мандельштампом, разумеется, до тех пор, пока не будут созданы другие равноценные стихотворения и размер станет нейтральным (что случилось с ямбом во многих его видах). К слову сказать, размер "Ленинграда" существовал и раньше, но все же он мандельштамовский именно из-за "Ленинграда".[15] Метрическое, ритмическое и интонационное изобретательство Бродского настолько высоко и при всей своей новизне настолько органично, что в этой области некого поставить с ним рядом в русской литературе. Каждое стихотворение имеет у него свое неповторимое лицо во всех идиосинкразических чертах его мимики.

Выше, когда мы мимоходом назвали Бродского учеником Цветаевой, мы имели в виду не столько тематическую, сколько профессионально-поэтическую сторону дела. Бродский мог учиться у Цветаевой искусству точного соответствия ритма и настроения, умению держать тему, лаконизму, компрессии интеллектуального и особенно чувственного накала в стихе, умению использовать возможность сложных синтактико-стилистических построений, виртуозности применения пауз и переносов, искренности и бескомпромиссности авторской точки зрения. Конкретно же между стихами Цветаевой и Бродского -- почти ничего общего, они -- поэты разные, непохожие друг на друга. Цветаева интересовала Бродского скорее не как наставница, а как соперница, он всегда ставил ее выше других русских поэтов, и его

целью стало достичь таких же (или больших) высот в своих
темах и ритмах, как она в своих. Более того, настоящей
школой поэзии для Бродского оказалась не Цветаева и даже
не русская поэтическая традиция, а английские поэты-метафизики семнадцатого века: Джон Донн, Джордж Герберт, Ри-
чард Крэшо и Эндрю Марвелл.

Разговоры о влияниях могут завести критика в тупик.
Обрадовавшись тематическому или строфическому совпадению,
он склонен развивать свой тезис до победного (зачастую аб-
сурдного) конца, видя совпадения там, где их и в помине не
было. Особенно сложно писать о сложных поэтах, в творчестве которых слились несколько традиций, несколько школ. Таким сложным поэтом и является Бродский.

Слово "школа" или "течение" -- термин, кстати сказать,
хороший. Под ним подразумевается не столько общность кон-
кретная между двумя данными поэтами (т.е. учитель -- ученик,
предшественник -- преемник, группа единомышленников), сколько общность самого подхода к произведению искусства, совпадение (хотя бы частичное) во вкусах, а также и по вопросу о
том, каковы должны быть цели, методы и материал искусства.
Таким образом, совершенно не видя ничего общего между Ман-
дельштамом и Ахматовой, мы все-таки можем противопоставить
их Хлебникову и Маяковскому, а последних (как и первых) Брю-
сову и Блоку. Однако не следует забывать, что большой поэт
неизбежно перерастает школу и основывает свою, тем и отли-

чаясь от даже самых блестящих эпигонов.

Бывают, однако, большие поэты, выросшие как бы ни на чем. Лучшие примеры -- Хлебников и Цветаева. Или, может быть, лучше сказать, на всем. У Хлебникова есть отголоски и "Слова о полку Игореве", и "Хроник", и Державина, и Пушкина, и графа Алексея Толстого, и Уитмена, и неизвестных украинцев и поляков, а в случае Цветаевой вообще непонятно как второ-(и третье-)сортная немецкая и французская поэтическая мешанина могла принести такие необыкновенные плоды как "Юношеские стихи". Нельзя здесь не вспомнить ахматовское: "Когда б вы знали из какого сора...", хотя ее "сор" легче всего определить, впрочем, она, по-видимому, писала не об этом.

Возвращаясь к Цветаевой: загадка здесь, возможно, в способе творческой переработки, пропусканию через себя, а не в самом сырьевом материале, который, может, и был лишь катализатором, толчком к своему, исконному, заложенному природой. А может быть, и было в этом иностранном катализаторе то, что помогло расширить и обогатить сферу ее русской линии. Лучший пример у нас Пушкин, совместивший и преодолевший традицию Ломоносова--Державина и пришедший к своему не через них, а через современный ему европейский романтизм. Бродский совершил еще более удивительный шаг. Он нашел своих настоящих единомышленников не в русской (или европейской) поэзии своего времени, а, перенесясь на три столетия назад, в английской.

Поэт-метафизик воспринимается по-русски как синоним выражению поэт-философ. Такая замена в нашем случае совершенно непригодна, так как разговор здесь пойдет о поэтах-метафизиках, для которых метафизическая поэзия -- это ни более ни менее как поэтическое направление, объединявшее их -- людей зачастую лично незнакомых и живших в разное время. Это направление отличается четкостью и ясностью категорий, явившихся его специфическими отличительными чертами. Бродский безусловно поэт этой школы, если уж о каких-либо школах и следует говорить в связи с его творчеством.

Отличительной чертой поэтов-метафизиков является интеллектуальная основа их творчества, то есть попытка дать в стихах логическую, основанную на умственном анализе картину мира. При этом "игре ума" отводится поэтами-метафизиками основная роль, отсюда их необычная образность, связанная с различными традиционно непоэтическими областями человеческого знания -- географией, геометрией, физикой, химией, биологией и т.п.

Объединяла поэтов-метафизиков и лежавшая в основе их мировоззрения христианская религиозная философия. Однако они в большинстве случаев уклонялись от какого-либо ее пересказа, восхваления или отрицания, привлекая ее посылки (наряду с другими областями знания) лишь для анализа своих умственных состояний.

Метафизическая традиция в какой-то мере была характерна и для русской поэзии 18 века. Однако пришедшие ей на смену в 19 веке сентиментализм и романтизм почти совершенно вытеснили ее. "Игра чувств" стала в центре ее внимания, и с этого времени можно говорить о стремительном развитии чувственной поэзии в России, в 20 веке достигшей апогея в творчестве Цветаевой. Параллельно с чувственной традицией шла гражданская и зачастую успешно сливалась с ней в творчестве многих поэтов. Описание "состояния души" в противовес "состоянию ума" характерно для всех школ и направлений, и в этом смысле контексты "И странной близостью закованный /Смотрю за темную вуаль",[16] "Мама! Ваш сын прекрасно болен! /Мама! У него пожар сердца",[17] "Так беспомощно грудь холодела"[18] и "Я вздрагивал. Я загорался и гас"[19] имеют один общий знаменатель -- чувственное (не интеллектуальное) восприятие.

Поэты-метафизики в первую очередь старались поразить ум и воображение читателя, а не его чувства и эмоции -- принцип, сказавшийся и в их выборе языковых и стилевых средств для достижения этой цели. Прежде всего они отказались от употребления слов, ставших штампами старой поэзии, то есть перегруженных добавочной поэтической семантикой предшествующих контекстов.

Во-вторых, они придерживались в применении к смыслу принципа "прекрасной ясности" задолго до того времени, как

Кузмин провозгласил его на русской почве, борясь против символизма. Ясность смысла, однако, сочеталась в поэзии метафизиков с синтаксической и образной изощренностью, которые считались достоинством поэзии, ибо читатель и находил в их постижении интеллектуальное наслаждение, читатель, конечно, подготовленный (до лозунга понятности искусства народу метафизики так и не додумались).

Противопоставляя интеллектуальное чувственному мы, конечно, имели в виду продемонстрировать саму идею, а не жесткое ее применение на практике. Поэты-метафизики совсем не исключали чувственного, однако эта сфера выражалась в их стихах в большинстве случаев через рациональное, а не эмоциональное освоение темы, не гармония поверялась алгеброй, а алгебра лежала в основе гармонии.

В русской литературе не было поэтов-метафизиков, были метафизические стихи, терявшиеся в волнах стихии чувственного у своего же создателя. Бродский по складу своего поэтического таланта не мог не отметить и не выделить их у Кантемира, Ломоносова, Державина, Баратынского, Тютчева, а из поэтов 20 века -- у Хлебникова и Заболоцкого. Однако без английской метафизической традиции он вряд ли бы смог подняться на такую высоту. По тонкости и точности интеллектуального восприятия и по особому слиянию логического и эмоционального в стихе Бродский, безусловно, единственный поэт в своем роде в русской литературе. Подтверждением могут служить многие его стихотворения, но мы начнем с одного, которое по основным своим чертам ближе всего к английской традиции.

"Бабочка"[20] Бродского производит впечатление вылетев-
шей из английской метафизической поэзии, где она находилась
в гусеничном состоянии. По краткой строке, типам рифмы и
общей интеллектуальной тональности оно напоминает некоторые
стихи Герберта, Вона и Марвелла.

Стихотворение написано 12-ти строчной ямбической стро-
фой с использованием пиррихиев и охватной рифмы aBBacDDceFFe.
Отличительной чертой строфики стихотворения является обиль-
ное употребление анжамбеманов, а в синтаксисе -- непревзой-
денное искуснейшее использование сложно-сочиненных и -под-
чиненных предложений. Последнее характерно почти для всех
стихотворений Бродского, и, безусловно, является его нова-
торством. Хотя в принципе само явление можно встретить и
у его предшественников, только у Бродского оно становится
константой его поэтического стиля. Новатор в поэзии не тот,
кто первый использовал новую черту (экспериментатор), а тот,
кто сделал эту черту приметой своей поэзии, возвел ее из
ранга пробы в ранг поэтического приема. При обильном использовании сложных предложений с сочинением и подчинением,
строка часто перестает быть равной смысловой синтагме, как
почти во всех русских стихах. При использовании кратких
размеров как в "Бабочке" (чередование трехстопного и дву-
стопного ямба) синтаксический стык приходится на середину
строки, что делает всю строку вне контекста семантически
недостаточной: "рассыпалась, меня", "как ночью? и светило",

"со зла и не", "забвенья; но взгляни" и т.п. К подробному обсуждению этого явления в поэзии Бродского мы обратимся позже.

Всего в "Бабочке" 14 строф. Расположение каждых двух строф на отдельной странице напоминает форму тела бабочки, крыльями которой служат белые края листа.

В "Бабочке" формально отсутствует экспозиция (т.е. не сказано, где поэт гулял, как он заметил бабочку, почему она оказалась в его руке и т.п.). Вместо этого поэт вводит нас непосредственно в тему:

I

Сказать,что ты мертва?
Но ты жила лишь сутки.
Как много грусти в шутке
Творца! едва
могу произнести
"жила" - единство даты
рожденья и когда ты
в моей горсти
рассыпалась,меня
смущает вычесть
одно из двух количеств
в пределах дня.

Жизнь бабочки настолько коротка, что с точки зрения человеческого времявосприятия почти приравнима к небытию, разница между "жила" и "не жила" настолько несущественна, что ею можно пренебречь, принять ее за допустимую погрешность ± день. Отсюда первая философская посылка поэта -- размышление над проблемой разности восприятия времени человеком и бабочкой. Однако бабочкиными глазами поэт не может посмотреть на мир, поэтому, оценивая ее жизнь на фоне человеческого времяисчисления, он жалеет бабочку, жизнь которой так коротка. С другой стороны, не может он взглянуть на вещи и глазами Творца, и, рассматривая бабочку как равноценного представителя живого мира, не может не думать о ее обделенности. Отсюда и его оценка создания Творцом бабочки как шутки, в которой, с человеческой точки зрения, много грусти. Конспективно проблематику первой строфы можно изобразить так:

1) Относительность понятия времени. День как самая крупная единица времяисчисления для бабочки (вся жизнь) и самая мелкая для человека (поддается забвению).

2) Попытка рациональной оценки человеком деятельности Творца: (Для чего создавать бабочку? Шутка?)

3) Эмоциональная оценка этой деятельности: (Если да, то шутка грустная).

Вторая строфа продолжает развивать посылку первой строфы о ничтожности дня, его поддаваемости забвению, в конечном счете человек исчисляет свою жизнь не днями, а годами (Сколько вам лет?), а потому "дни для нас /-- ничто".

II

Затем что дни для нас -
ничто. Всего лишь
ничто. Их не приколешь,
и пищей глаз
не сделаешь: они
на фоне белом,
не обладая телом,
незримы. Дни,
они как ты; верней,

что может весить
уменьшенный раз в десять
один из дней?

По существу вторая строфа представляет собой развернутое сравнение человеческого дня (времени) и бабочки (материальной субстанции). Сравнение это довольно искусно, и
на нем стоит остановиться. Во-первых, поэт приходит к тож-
деству бабочки и человеческих дней доказательством через
парадокс: дни (для нас) не такие как ты, поэтому дни для
нас такие как ты. Во-вторых, доказательство это передано
художественно не в виде общепринятого сравнения типа :
тема -- основание -- рема (дни не похожи на бабочку потому-то и потому-то), а опосредствованно -- поэт говорит о
днях в терминах бабочки:

1) их не приколешь (как тебя)

2) пищей глаз не сделаешь (как тебя)

3) не обладает телом (как ты).

Напрашивающийся вывод об отсутствии тождества опро-
вергается, ибо главным для поэта становится не внешнее
различие -- наличие/отсутствие плоти, но внутреннее --
элемент важности, веса, приближающегося к невесомости.
Отсюда формулируем философскую посылку всей строфы: человеческий день как и бабочка -- ничто, единицы настолько
мелкие, что приравниваются в человеческом сознании отсутствию материи, будь то мысль (память) или плоть.

В свою очередь третья строфа опровергает это утверждение. Если ты как и день -- ничто, то что же в моей руке? Однако опровержение это -- кажущееся. Просто поэт

опять возвращается от умозрительного к видимому, от идеи
ничтожности, неважности к чувству воприятия реального су-
ществующего объекта, причем объекта прекрасного, создан-
ного не и вне человеческого опыта. Так от мысли о Твор-
це-шутнике поэт переходит к мысли о Творце-художнике:

III

Сказать,что вовсе нет
тебя? Но что же
в руке моей так схоже
с тобой? и цвет -
не плод небытия.
По чьей подсказке
и так кладутся краски?
Навряд ли я,
бормочущий комок
слов,чуждых цвету,
вообразить бы эту
палитру смог.

Подытожим последовательность рассуждений первых трех
строф:

1) Сказать, что ты мертва? Но ведь ты и не жила.

2) Ибо день -- ничто, а ты как день, значит и ты --
ничто, тебя нет.

3) Сказать, что нет тебя? Но что же в руке моей?
Кто создал тебя такой прекрасной?

Следующие три строфы посвящены раздумьям автора о
внешности бабочки, об узоре ее крыльев, красота которых,
однако, вызывает в нем не чувство любования (одна из ба-
нальных тем лирической поэзии), а попытку разобраться в
смысле рисунка. Формально эти раздумья выражены в форме
риторических вопросов к бабочке (к тому же мертвой) --

обращение "скажи" присутствует в двух строфах и в одной
подразумевается.

Тематический план этих строф следующий: IV -- ты --
натюрморт; V -- ты -- пейзаж; VI -- ты и то, и это.

Помимо этих главных суждений, в каждой из строф идет
развитие своей локальной темы, возникают новые предположе-
ния, новые вопросы:

V

Возможно,ты - пейзаж
и,взявши лупу,
я обнаружу группу
нимф, пляску, пляж.
Светло ли там,как днем?
иль там уныло,
как ночью? и светило
какое в нем
взошло на небосклон?
чьи в нем фигуры?
Скажи, с какой натуры
был сделан он?

Вторая смысловая часть шестой строфы с ее вопросом
о том, "Кто был тот ювелир, /что, бровь не хмуря, нанес в
миниатюре /на них тот мир..." возвращает читателя к вопросу третьей о Творце: "По чьей подсказке /и так кладутся
краски?" Заканчивается строфа противопоставлением бабочки и человека как полярных представителей существования
материи: "ты -- мысль о вещи, мы -- вещь сама".

Наконец седьмая строфа, подытоживая тему о смысле
узора, содержит последний и основной вопрос автора к бабочке: "Скажи, зачем узор /такой был даден /тебе всего лишь
на день...?" и возвращает нас таким образом к теме первой

о шутке Творца. Седьмая строфа, таким образом, замыкает тематическое кольцо, объединяя все первые семь строф кардиналь-
ным вопросом: какова цель Творца? Здесь мы осознаем и архи-
тектурную стройность стихотворения: первые семь строф -- вопросы (бабочке и себе), вторые -- размышления и ответы на них.
При этом центральный вопрос первой части о цели Творца ждет
разрешения во второй.

Переход ко второй части плавен и естественен: поэт как
бы впервые сознает тщетность своего вопрошательства, однако
дело вовсе не в том, что бабочка мертва, а в ее безголосии
вообще, даже в живом состоянии -- замечание, снова приводящее
нас к осознанию в ее случае релятивности оппозиции "жива --
мертва", столь существенной для человека, в языке которого
говорение/пение -- синоним жизни, а молчание -- смерти (так
в русской поэзии часто на месте "умер" стоит "умолк").

VIII

Ты не ответишь мне
не по причине
застенчивости и не
со зла,и не
затем что ты мертва.
Жива,мертва ли -
но каждой Божьей твари
как знак родства
дарован голос для
общенья,пенья:
продления мгновенья,
минуты, дня.

Смысловая лесенка от темы безголосия бабочки перекину-
та к теме голоса/пения/поэзии как своеобразной форме продле-

ния жизни/времени -- теме, занимающей в философии Бродского одно из первых мест.

Однако возникающая было у читателя жалость к безголосию бабочки отвергается поэтом в IX строфе, считающим, что, во-первых, лучше быть свободным от долгов небесам, чем чувствовать себя обязанным (старинная проблема свободы/несвободы; в земном плане см. "Кузнечик"[21]Ломоносова), а во-вторых, "звук -- тоже бремя" -- то есть налагает большую ответственность на говорящего, в данном случае поэта, ибо подспудно тема поэзии уже затрагивалась в предыдущей строфе.

Заканчивается IX строфа сравнением бабочки и времени (продолжение цепочки бабочка/день/дни): "Бесплотнее, чем время, /беззвучней ты", углубляя тему звука/речи/поэзии как способа закрепления, материализации времени или (что одно и то же) как способа борьбы с ним. Тема эта переходит и в следующую X строфу: бабочке не стоит сокрушаться из-за своей немоты, ибо она (немота) ставит ее вне времени -- вне тюрьмы минувшего и грядущего, спасая ее этим от страха смерти.

В XI строфе подводная тема поэзии выходит на поверхность блестящим развернутым сравнением. Как бабочка порхает и не знает ни цели своего полета, ни кто им руководит, но доверяет ему, так и перо поэта пишет, не зная, что ждет написанное им в будущем, но доверяясь "толчкам руки". Снова тема сравнения (бабочка) присутствует лишь в подтексте, а не в тексте строфы, где перо трактуется в терминах бабочки:

XI

Так делает перо,
скользя по глади
расчерченной тетради,
не зная про
судьбу своей строки,
где мудрость,ересь
смешались,но доверясь
толчкам руки,
в чьих пальцах бьется речь
вполне немая,
не пыль с цветка снимая,
но тяжесть с плеч.

Две любимые темы Бродского звучат здесь -- о соразмерности человека-творца и Бога-творца и о доверии к высшей целесообразности мироустройства, к "ножницам, в коих судьба материи скрыта." Замечательно концевое двустишие строфы, содержащее дополнительное сравнение: перо так же снимает тяжесть с плеч поэта, освободив его от бремени стихов, как бабочка снимает пыль(цу) с цветка. Другими словами, в строфе дается ряд отношений: орудие Творца (бабочка) подобна орудию поэта (перу), откуда: 1) поэт подобен Творцу, 2) поэт подобен цветку. Последний ряд продолжает тему звука-бремени.

XII строфа является философским центром стихотворения, где поэт переходит от анализа к синтезу. Читатель, конечно, предполагал, что рано или поздно поэт провозгласит свое кредо (или не кредо), коль скоро он поставил проблему цели Творца в первом семистрофии. Поэты английской метафизической школы чаще всего выражали в стихах апофеоз Создателю несмотря ни на что и вопреки всему (лучший пример "Иов" (Job) Френсиса Куарлеса), считая, что Бог является обладателем высшей правды, недоступной пониманию человека, а потому все делается во благо человека, который для Бога явился конечной целью творения, так как все в мире создано для человека и во имя человека (фраза, чудом перекочевавшая из теологии в коммунизм). Джордж Герберт лучше других выразил эту мысль в стихотворении "Человек" (Man):

> For us the windes do blow.
> The earth doth rest, heav'n move, and fountains flow.
> Nothing we see, but means our good,
> As our delight, or as our treasure:
> The whole is, either our cupboard of food,
> Or cabinet of pleasure.[22]

В русской поэзии таких стихов много, из них лучшее "Бог" Державина, где поэт целиком полагается на непостижимую человеческим умом правду Создателя:

> Твое созданье я, Создатель!
> Твоей премудрости я тварь,
> Источник жизни, благ податель,
> Душа души моей и царь!
> Твоей то правде нужно было,
> Чтоб смертну бездну преходило
> Мое бессмертно бытие;
> Чтоб дух мой в смертность облачился
> И чтоб чрез смерть я возвратился,
> Отец! -- в бессмертие Твое.[23]

Наряду с апофеозом предсказуема материалистическая точка зрения, а также воинствующий атеизм (Маяковский). Предсказуема и позиция бросания вызова Богу, неприятие его мира, позиция "возвращения билета" -- идея Достоевского, преломленная у Цветаевой в "Поэме конца":

> Право-на-жительственный свой лист
> Но-гами топчу!

и в "Стихах к Чехии":

> Пора -- пора -- пора
> Творцу вернуть билет.

Наконец возможна и позиция скептицизма, например, у Пушкина или у того же Державина в других стихах, например, "На смерть князя Мещерского" -- показатель возможности совмещения разных точек зрения у одного поэта.

Бродский в "Бабочке" выдвигает оригинальную концепцию по вопросу отношения Бога и Его цели, и Бога и человека, отвергая прямолинейность всех вышеуказанных отношений, другими словами, он опровергает основные положения всех четырех позиций:

1) Позиция религиозная: Бог есть, и все, созданное им, создано для человека -- венца творения.

2) Позиция материалистическая: Бога нет, а следовательно, нет и цели.

3) Позиция вызова: Бог есть, но я не принимаю его миропорядок.

4) Позиция скептицизма: может есть, а может нет, вернее всего, что нет.

Бродский признает существование Бога (в стихотворении -- Творца), Бог есть (опровержение материализма), но вряд ли у Него есть цель в человеческом понимании, а если есть, то цель не мы (опровержение религиозной точки зрения), следовательно бесполезно сердиться на Него и отвергать Его мир (опровержение позиции вызова). Вывод Бродского о том, что "цель не мы", наносит беспощадный удар человеческому самолюбию, вывод, ко-

торый человечество в основном и не рассматривало, потому что
искало в философии и религии утешения. К выводу "цель не мы"
Бродский приходит через размышление о природе времени. Творец не сделал человека бессмертным, хоть и мог; показателем
тому вечность других его творений -- света и тьмы -- их не
приколешь как бабочку (или человека): "для света нет иголок
/и нет для тьмы". В подтексте этой строфы содержится и логически связанная с текстовой мысль -- сомнение во всемогу-
ществе Творца, ибо если не создал время, для которого нет иголок, значит сам "у времени в плену", т.е. не всемогущ. Впрочем, для человека ни то, ни другое решение не утешительно, как
говорится, куда ни кинь -- все клин. Так ода красоте бабочки превращается в элегию человеку.

Конечно, можно забыть о смерти, распроститься с этим
вопросом, как и делают многие люди, не думающие о течении времени. Не задумаются они и о бабочке, рассматривая ее как ничто-
то, как прожитый и забытый день. Поэт себя к таким людям не
причисляет.

XIII

Сказать тебе "Прощай"?
как форме суток?
Есть люди,чей рассудок
стрижет лишай
забвенья;но взгляни:
тому виною
лишь то,что за спиною
у них не дни
с постелью на двоих,
не сны дремучи,
не прошлое -- но тучи
сестер твоих!

Последняя строфа опровергает положение II-ой о том, что бабочка -- ничто. Однако если во второй строфе "ничто" написано с прописной буквы, то в последней -- с заглавной, Ничто -- есть небытие, отсутствие не только жизни, но и какой-либо формы существования во времени. Бабочка лучше, чем Ничто, ибо она ближе и зримее, то есть нечто среднее между жизнью и небытием:

XIV

Ты лучше,чем Ничто.
Верней:ты ближе
и зримее. Внутри же
на все на сто
ты родственна ему.
В твоем полете
оно достигло плоти;
и потому
ты в сутолке дневной
достойна взгляда
как легкая преграда
меж ним и мной.

На этом я закончу смысловой анализ стихотворения и перейду к звуковому. Здесь в первую очередь следует сказать о приеме созвучия, ставшего одной из стилеобразующих черт русского символизма, но и до символистов, хотя и не в таком сгущенном виде, весьма характерного для русской поэзии 18 и 19 веков. Звукопись встречается и у Кантемира и у Державина, особенно ею увлекались Жуковский и Батюшков.

В учениях и рассуждениях о звукописи есть много еретического, прежде всего потому, что термин этот сам по себе предполагает какой-то специальный подход, особое внимание поэта к звуковой стороне стиха. Верно, есть и внимание и подход, но самоцель (Вот как я умею!), т.е. то, что и называется зву-

кописью,характерна для немногих стихотворений. Аллитерация

как таковая, известная с незапамятных времен, была в древних

поэзиях скорее организующим началом как рифма, а не приемом

особой музыкализации стиха. В русской поэзии высшим музыка-

лизмом отличается поэзия Бальмонта, насыщенная созвучиями.

Бальмонта считали виртуозом в этом деле, и помимо хрестоматий-

ного "Чуждого чарам черного челна", неизвестно откуда и зачем

приплывшего в русскую поэзию, были у него и более искусные ве-

щи, как, например, стихотворение "Влага":

> С лодки скользнуло весло.
> Ласково млеет прохлада.
> "Милый! Мой милый!" -- Светло,
> Сладко от беглого взгляда.
>
> Лебедь уплыл в полумглу,
> Вдаль, под луною белея.
> Ластятся волны к веслу,
> Ластится к влаге лилея.
>
> Слухом невольно ловлю
> Лепет зеркального лона.
> "Милый! Мой милый! Люблю!.." [24]
> Полночь глядит с небосклона.

Бальмонта я взял как крайний пример сознательной наро-

читости оформления фонетического уровня, то есть в конечном

счете искусственности. Его менее музыкальные вещи куда более

художественны. Вероятно, самый главный вопрос в оформлении

звукового уровня -- его смысловая оправданность, другими сло-

вами, является ли звуковая игра основным содержанием стихо-

творения или звуковой уровень -- лишь одно из составляющих

художественной структуры, построенной на гармоничном взаимодействии уровней?

В бальмонтовском случае фейерверк техники не скрывает банальности и убогости всего содержания. Да, музыка стиха существует, да, без созвучий нет поэзии, но достигается это какими-то другими, неискусственными и ненарочитыми путями, не через созвучия ради созвучий. Да, без "наклона слуха" поэт не поэт, но и с голым "наклоном слуха" он тоже не поэт, во всяком случае, высоко ему не летать (в случае Бальмонта: далеко ему не уплыть). Скрытые созвучия куда более важны, чем созвучия, лежащие на поверхности. К сожалению, ничего лучше, чем "магия слова" для определения таких стихотворений не найти. У больших поэтов созвучия рождаются сами собой и чаще всего потому, что слова, лучше всего передающие настроение и смысл, оказываются в силу каких-то неизвестных законов фонетически близкими. Почему это происходит -- пока тайна, которую никакие многочисленные графики, подсчеты и таблицы до сих пор не помогли нам раскрыть. Поэт, видимо, отвергает ненужные слова автоматически (не годится!), не думая, почему не годится, не анализируя свой не-выбор, в конечном счете мастерство поэта и заключается в безупречности и оригинальности работы его подсознательного аппарата избирательности (где главное -- не ах, какие слова выбрал!, а какую массу слов отверг). В этом смысле поэт уподобляется сложнейшему и точнейшему инструменту -- мысль Бродского в статье о поэзии Цветаевой.[25]

И еще одна важная деталь. Количество созвучий, их распределение в строках и строфах в большинстве случаев несимметрично, поэтому "закона созвучий" установить нельзя. Разговоры же о звуковой доминанте строки или строфы оправданы только в тех случаях, где доминанты выделимы на уровне всего текста, то есть текст можно рассмотреть как взаимодействие/оппозицию таких доминант. Исключения представляют лишь случаи звукоподражания, где звук впрямую связан со смыслом фразы, семантически мотивирован:

> Как чай прихлебывая слякоть
> Лягушки любят покалякать:
> Свой быт хвалить, чужой -- обквакать,
> Сказать свое "бре-ке-ке-ке!"
> Похвастать квасом, простоквашей,
> К вам обратиться, к маме к вашей
> На лягушачьем языке...
>
> Суть языка их такова,
> Что слышно только ква да ква,
> И квази-кваммунизм их скважин
> Им кажется куда как важен:
>
> "Весь мир насилья мы расквасим
> В сплошной кавак и кавардак!
> Как адеквасен, как преквасен
> Рабочий квасс и квасный флаг!
>
> "Хвалите квассиков, чудак вы:
> Пускай течет в искусстве аква
> Квассически, как дважды ква!
> Нет ягоды квасней, чем клюква,
> Чем буква К -- квасивей буквы,
> Столицы -- кваше, чем Москва!"
>   (Моршен)[26]

Итак, единственное, что мы можем сделать, -- это указать на случаи созвучий у поэта и определить их приблизительный удельный вес в его творчестве. Точное вычисление в про-

центах -- дело будущих исследователей, сейчас же можно определенно сказать, что созвучие -- неотъемлемая черта поэтического стиля Бродского, так как прием этот характерен для
любого его стихотворения. Было бы заманчиво в цифрах сравнить его поэзию на предмет созвучий с поэзией других поэтов
только для того, чтобы найти средний процент созвучности для
настоящей поэзии. Весьма возможно, что такой анализ выявит,
что непевучая Цветаева, писавшая по слуху, опередит по со-
звучиям певучего Блока. А может быть, певучесть и внутрен-
няя рифма и не находятся в прямой зависимости?

У Бродского в стихотворении "Бабочка" на уровне строки
можно выделить следующие типы звуковых повторов:

1) соположение слов с близкой фонетикой (в записях
сбоку учитывается редукция гласных):

расчерченной тетради	ра-ра
я обнаружу группу	ру-ру
а ты -- лишает шанса	ша-ша
вполне немая	не-не
хранит пространство	ран-ра-ран
трофей простерт	ра-ра
взошло на небосклон	лон-лон
Творца! едва	ва-ва
на все на сто	нас-нас
попасть в сачок	оас-сао
один из дней	дин-идн
достойны немоты	атны-наты
не плод небытия	нипт-нибт
меж ним и мной	ми-ним-имн
у них не дни	ни-ни-ни
минувшего с грядущим	уши-ущи
в чьих пальцах бьется речь	пца-бца
не обладая телом	ла-ла
для света нет иголок	ет-ет
ты лучше, чем ничто	чи-чи-ич
оно достигло плоти	тило-лоти
меж ним и мной	ним-имн

2) начально-конечные созвучия на уровне строки:

такая красота	та-та
минувшего с грядущим	ми-им
достойна взгляда	да-да
а ты -- ты лишена	а-а
в чьих пальцах бьется речь	ч-ч
как форме суток	ка-ак
не сделаешь они	ни-ни
трофей простерт	тр-рт
затем что дни для нас	за-ас
незримы дни	ни-ни
смешались, но доверясь	с-с

3) аллитерация начальных звуков:

нимф, пляску, пляж	пл-пл
скажи с какой натуры	ска-ска
по чьей подсказке	па-па
дожив до страха	да-да
сам воздух вдруг	в-в
и так кладутся краски	кла-кра
что сводит нас с ума	с-с
когда летишь на луг	л-л
и срок столь краткий	с-с
судьбу своей строки	с-с-с

4) Часто звуковые повторы выходят за пределы одной строки и прослеживаются на двух и более, а иногда и на уровне всей строфы:

а) Затем что дни для нас
ничто. Всего лишь
ничто. Их не приколешь
и пищей глаз
не сделаешь: они
на фоне белом
не обладая телом
незримы. Дни,
они как ты

б) Светло ли там, как днем?
иль там уныло,
как ночью? и светило
какое в нем
взошло на небосклон?

c) Такая красота
   и срок столь краткий
   соединясь, догадкой
   кривят уста:
   не высказать ясней,
   что в самом деле
   мир создан был без цели,
   а если с ней,

5) Звукоподражание и выражение звуком движения:

затрепетать в ладони
бормочущий комок
скользя по глади

Я перечислил здесь далеко не все случаи звуковых повторов в стихотворении и не учитывал созвучия в рифме, но картина ясна: звуковые повторы -- органическая черта стиха Бродского, которую можно легко проследить на уровне всех его произведений.

Разбирая "Бабочку", я не хотел разбивать смысловой, образный и лексический планы, боясь нарушить стройность анализа.   Теперь, когда разбор семантического и звукового уровней закончен, я позволю себе вернуться к образно-лексическому и отметить весьма важную черту стихотворения -- его почти полную безэпитетность.   Это тем более важно, что безэпитетность -- характерная черта поэтического стиля Бродского, проявляющаяся во многих его стихотворениях.   Ниже мы постараемся выяснить причину предпочтения Бродским иных форм художественной образности.

В "Бабочке" из восьми случаев употребления прилагательных: "на фоне белом", "бормочущий комок слов", "портрет летучий", "рыбной ловли трофей", "расчерченная бумага", "немая речь", "сны дремучи", "легкая преграда" -- только в предпоследнем примере находим эпитет. Напомним, что эпитет -- это троп, переносное значение, в отличие от простого прилагательного, необходимого для понимания смысла или уточняющего его. Действительно, "на фоне белом" не эпитет, так как может быть черный, красный и т.п. фон, три последующие выражения вообще принадлежат к другому классу фигур -- приему парафразы, очень характерному для Бродского и редкому у других поэтов: "бормочущий комок слов, чуждых цвету" -- человек/поэт, "портрет летучий" -- бабочка, "рыбной ловли трофей" -- рыба. Тем не менее во всех этих сочетаниях прилагательные необходимы для понимания смысла, где "бормочущий" -- не немой, без "летучий" мы бы не поняли, что говорится о бабочке, "трофей ловли" без "рыбной" оставил бы нас в недоумении.

Далее, выражение "немая речь", взятое в отдельности, могло бы быть отнесено к разряду эпитетов-оксюморонов, как у Брюсова ("в звонко-звучной тишине") или у Мандельштама ("и горячий снег хрустит"). Однако у Бродского "немая" -- определение логическое, здесь нет никакой игры, "немая речь", то есть слова, еще ни разу не звучавшие, мысли не вслух, которые перо выводит в тетради. Прилагательное "расчерченный" говорит нам о типе тетради. В общем и целом (не вдаваясь в сложные случаи) прилагательные чаще всего используются для приращения смысла, эпитеты -- живописности. Лучшие из эпитетов умудряются соединить первое со вторым.

Вообще вопрос о классификации эпитетов -- вопрос сложный и далеко не решенный, ибо, кроме чистых форм, существует
много пограничных случаев, не поддающихся четкой классификации. Для целей нашего анализа достаточно разделить эпитеты
на орнаментальные и метафорические. И тот и другой класс
весьма характерен для языка поэзии. Все остальное мы отнесем
к разряду прилагательных, т.е. слов, являющихся носителями
логического смысла. (Если же считать эпитетом любое прилагательное, определяющее, поясняющее или характеризующее объект,
то возникнет класс "логического эпитета").

В связи с установкой Бродского на рациональное позна-
вание мира (как материального, так и духовного) орнаменталь-
ный эпитет как способ выражения чувственного восприятия не
играет у него существенной роли. Чужды ему и такие качества
орнаментального эпитета как смысловая необязательность и картинность. Последнее и явилось главным привлекательным ка-
чеством для эпитетных поэтов, не претендовавших на философ-
ское осмысление мира. Зачастую картинность их стихотворений
на эпитетах держится и в эпитетах же проявляется:

        И, садясь комфортабельно
        В ландолете бензиновом,
        Жизнь доверьте вы мальчику
        В макинтоше резиновом,
        И закройте глаза его
        Вашим платьем жасминовым,
        Шумным платьем муаровым, 27
        Шумным платьем муаровым.

В этом очень интересном и оригинальном стихотворении
много избыточного с точки зрения смысла: ландолет бензино-

вый (какой же еще?), макинтош резиновый (а из чего еще делаются макинтоши?). Но даже если они и делаются из какого-ни-
будь другого материала, все это несущественно, как несущественно, каким платьем героиня закроет глаза мальчика -- муаро-
вым, жасминовым или каким-либо другим. Тем не менее, стихотворение Северянина -- поэзия настоящая, просто его художест-
венные критерии не такие как у Бродского, у которого отсутствует само понятие восхищенного любования.

Следующий отрывок, напоминающий стихи Бродского техни-
кой распространения сложно-подчиненного предложения на две
строфы и использованием приема строфического зашагивания, по
стилю своему никак не может быть ему приписан именно из-за
его пышной орнаментальной эпитетности:

                Багряный, нежно-алый, лиловатый,
                И белый белый, словно сон в снегах,
                И льющий зори утра в лепестках,
                И жаркие лелеющий закаты, --

                Пылает мак, различностью богатый,
                Будя безумье в пчелах и жуках,
                Разлив огня в цветочных берегах,
                С пахучей грезой, сонно-сладковатой.[28]

В этом стихотворении, кроме эпитетов, Бродскому чужды
и все другие его черты, как, например, романтическое сравнение "словно сон в снегах", создавшееся не из реальности, а
из тройного сочетания -сн-, или "разлив огня" и "пахучая гре-
за". Строфы эти взяты из стихотворения Бальмонта "Цвет страсти". Та же реальность вызвала бы у Бродского совершенно другой и подход и контекст, вроде следующего:

```
...        только те
```
вещи чтимы пространством, чьи черты повторимы: розы.
Если видишь одну, видишь немедля две:
насекомые ползают, в алой жужжа ботве, --
пчелы, осы, стрекозы.

("Колыбельная Трескового Мыса"

Вообще очень важно отметить, что Бродский избегает употребления прилагательных и почти никогда их не рифмует -- вещь
наиредчайшая в русской литературе (школа Цветаевой, которую он
в этом превзошел).

В заключение анализа "Бабочки" -- о "смысловой лесенке"
в поэзии Бродского, коль скоро термин этот уже появился в нашем тексте.

"Смысловая лесенка" -- это плавный переход от одной мысли к другой, обеспечивающий не только смысловое единство стихотворения в целом, но и живую временную и причинно-следствен-
ную его гармонию. Явление "non sequitur" -- высказывания, не
связанного с предыдущим и не вытекающего из него, весьма характерно для поэзии вообще. Поэта (особенно лирического) зачастую мало заботит сознание того, что каждая строфа живет своей
собственной отдельной жизнью, -- он полагается на читательское
чувственное восприятие, способное соединить мало- или не-соеди-
нимое при наличии в стихе общей лирической идеи. Если же и таковой нет, стихотворение, показавшееся сначала привлекательным,
при вторичном чтении рассыпается в читательском сознании на кра-
сивые слова, как мертвая бабочка в горсти.

Отсутствие "смысловой лесенки" в стихотворении позволяет
читателю без потерь в смысле переставлять строфы местами, вмес-

то головы, туловища и ног оно слагается из произвольно рас-
положенных равновеликих кирпичей. Метафизическая традиция
в большей мере, чем другие, противится такому построению в
силу своей ориентации на логику и умственное постижение как
материального, так и духовного и чувственного. (Один из лучших примеров -- знаменитая "Блоха" Донна).

У Бродского "смысловая лесенка" осуществляет мягкий,
незаметный переход от идеи к идее и обнаруживается только
при попытке читателя (безуспешной!) произвести с его стихами вышеописанную манипуляцию. Любопытно, как много известных стихотворений больших русских поэтов поддается хотя бы
частичной строфической перестановке.

2. Пара фраз о парафразе

Одной из ярких особенностей поэзии Бродского является использование стилистического приема парафразы -- явления в общем не характерного для русской поэзии.

Парафраза как поэтический прием ведет свое начало от древнегреческой и римской поэзии, ее использование характерно для Гомера, Эсхила, Софокла, Еврипида, Овидия, Ювенала и других поэтов классических литератур. В западно-европейской поэзии парафраза была регулярным приемом поэтики классицизма. Встречается она и в русской поэзии 18 века. У Ломоносова, например, находим такие парафразы, как "земнородных племя" (люди), "владычица российских вод" (Нева), "твари обладатель" (Бог); у Державина -- "пар манжурский" (чай), "зеркало времен" (история), "драконы медны" (пушки). В русской поэзии 19 века отдельные примеры парафразы можно найти почти у каждого поэта, однако ни у одного из них этот стилистический прием не является сколько-нибудь нарочитой повторяющейся индивидуальной чертой стиля. Здесь я говорю, конечно, не о языковых парафразах, как, например, "корабль пустыни", и не о парафразах-клише литературного направления: "узы Гименея" или "оседлать Пегаса" и т.п., а о парафразах авторских, оригинальных, ни у кого из других поэтов не встречающихся и читателю незнакомых.

Единственным русским поэтом до Бродского, в чьем творчестве парафраза стала сознательным повторяющимся приемом,
был Велимир Хлебников, искусство которого в этом деле дохо-
дило порой до виртуозности: "вечный узник созвучия" (поэт),
"выскочка финских болот" (Петербург), "пламень жаркий для же-
лудка" (водка).

Парафраза обычно определяется как стилистический прием
замены простого слова или фразы описательной конструкцией, а
семантически -- как выражение окольным путем того, что могло
бы быть сказано просто, общепринятыми языковыми средствами.
Цели такого окольного выражения могут быть разными, но результат один -- читателю предлагается разрешить своеобразный род
маленькой загадки, в результате которой он поймет смысл выражаемого в тексте. Ответ на такую загадку может лежать на поверхности, т.е. находиться или в самом тексте парафразы или
рядом с ней в виде ключевого слова или ключевого контекста.
Например, в следующей парафразе из стихотворения Заболоцкого
ключевое слово (решение загадки) дано непосредственно после
текста парафразы, и без того семантически весьма прозрачной:

> Осенних листьев ссохлось вещество
> И землю всю устлало. В отдаленьи
> На четырех ногах большое существо
> Идет, мыча, в туманное селенье.
> Бык, бык! Ужели больше ты не царь?
> (Осень)[30]

В некоторых случаях ключевое слово или ключевой контекст
могут находиться на значительном расстоянии от текста парафразы или вообще отсутствовать, что превращает парафразу в более

сложную загадку, требующую от читателя более активной работы мысли. Иногда для успешного понимания парафразы необходимы внетекстовые знания о той действительности, которая находит в ней отражение (см., например, пушкинские парафразы: "Чужих небес любовник беспокойный" из "19 октября 1825" (Матюшкин) или "Могучий мститель злых обид" (Паскевич) из "Бородинской годовщины").

Парафразы можно разделить на описательные и образные, т.е. включающие какой-либо троп. У Бродского встречаются и те и другие. Примерами его описательных парафраз являются следующие:

> ... Я заранее
> <u>область своих ощущений пятую</u>,   (уши)
> обувь скидая, спасаю ватою.
>   ("1972 год")[31]

> Дух-исцелитель
> Я из <u>бездонных мозеровских блюд</u>   (часы)
>   так нахлебался варева минут
>   и римских литер,
>   ("Разговор с Небожителем")[32]

Мозер был одним из самых известных поставщиков часовых механизмов в царской России (фирмы Мозера часы).

> <u>неколесный транспорт</u> ползет по Темзе,   (пароходы)
>   (Темза в Челси)[33]

> <u>Потерявший изнанку пунцовый круг</u>   (солнце)
> замирает поверх черепичных кровель,
>   ("Литовский дивертисмент", 3.)[34]

> ...   не ваш, но
> и ничей верный друг вас приветствует с <u>одного
> из пяти континентов, держащегося на ковбоях</u>;
>   ("Ниоткуда с любовью")[35] (США)

```
   ...        под натиском зимы
бежав на юг, я пальцами черчу
твое лицо на мраморе для бедных;         (песок)
     ("Второе Рождество на берегу..")³⁶
```

```
   ...     Часть женщины в помаде          (рот)
в слух запускает длинные слова,
как пятерню в завшивленные пряди.
     ("Литовский дивертисмент, 5.")³⁷
```

```
В городке, из которого смерть расползалась
                  по школьной карте,      (Мюнхен)
мостовая блестит, как чешуя на карпе,
     ("В городке, из которого...")³⁸
```

В данном случае ключевое слово -- Мюнхен -- дано после

стихотворении самим автором, который решил облегчить работу

читателю.

```
на эзоповой фене в отечестве белых головок,   (в России)
          ("На смерть друга")³⁹
```

Феня -- это блатной язык, а "белая головка" -- назва-

ние водки в 40-х--50-х годах, когда бутылки продавались с бе-

лыми шапочками наверху. Возможно, здесь присутствует и вто-

рое значение -- "в государстве блондинок".

```
Я заснул. Когда я открыл глаза,
север был там, где у пчелки жало.      (сзади)
     ("Колыбельная Трескового Мыса")⁴⁰
```

```
   ...      В декабрьском низком
небе громада яйца, снесенного Брунеллески,   (купол)
вызывает слезу в зрачке, наторевшем в блеске
куполов.
          ("Декабрь во Флоренции")⁴¹
```

Здесь речь идет о куполе собора Санта-Мария дель Фиоре,

который был исполнен по проекту архитектора Брунеллески во

Флоренции. Этот-то купол и представляется в виде яйца в па-

рафразе.

Парафраза может заменять не только существительные, но
и другие части речи, например, глаголы:

> Навсегда -- не слово, а вправду цифра,
> чьи нули, когда мы <u>зарастем травою</u>,   (умрем)
> перекроют эпоху и век с лихвою.
>   ("Прощайте, мадмуазель Вероника")[42]

> Ежели вам <u>глаза скормить</u> суждено <u>воронам</u>,   (погибнуть,
> лучше если убийца убийца, а не астроном.   быть убитым)
>   ("Мексиканский дивертисмент")[43]

Иногда выделяют эвфемистические парафразы, т.е. такие,
которые содержат намек на традиционно-запретные "нецензурные"
сферы человеческой жизни. Приведем пример такой описательной
парафразы-эвфемизма у Пушкина:

> А завтра к ве́ре Моисея
> За поцелуй я не робея
> Готов, еврейка, приступить --
> И даже <u>то</u> тебе вручить,
> <u>Чем можно верного еврея</u>
> <u>От православных отличить</u>.
>   ("Христос воскрес")[44]

Пушкинская парафраза употреблена в шутливом контексте,
Бродский же вводит парафразы "неупоминаемых" слов совершенно
по другим причинам, диктующимся логическим смысловым материалом, а не с целью шутки или сексуального намека как такового.
Так в стихотворении "Дебют",[45] в котором говорится о девушке
и юноше, в первый раз испытавших телесную близость, парафразы являются частью серьезного контекста весьма отличного от
пушкинского:

> Она лежала в ванне, ощущая
> всей кожей облупившееся дно,
> и пустота, благоухая мылом,
> ползла в нее через <u>еще одно</u>
> <u>отверстие</u>, знакомящее с миром.

...

> Он раздевался в комнате своей,
> не глядя на припахивавший потом
> <u>ключ, подходящий к множеству дверей</u>,
> <u>ошеломленный первым оборотом</u>.

Заметим, что первая парафраза описательная, вторая --
метафорическая. Вообще разделение это, по-видимому, имеет
смысл только для литературоведов, для поэта же главная цель --
ввести в текст игру, сказать о чем-то не в лоб, а обиняком,
а будет ли при этом использован троп или нет -- неважно, тем
более, что образность парафразы скорей случайна, чем сознательно запланирована.

Парафраза -- прием, бросающий вызов читателю, заставля-
ющий его думать. Парафразы Бродского, иногда довольно сложные сами по себе, часто заключены в семантически насыщенный
контекст, затрудняющий их понимание при первом чтении, тем
более со слуха, -- стихи Бродского вообще мало приспособлены
для эстрадного с ними знакомства, как, впрочем, и большинство
хороших стихов. Тем более читатель чувствует себя вознаграж-
денным, когда при повторных чтениях смысл стихотворения раскрывается для него. В стихотворении "Сонет"[46] парафраза является его семантическим центром и, приведенная вне контекста,
теряет значительную часть своей семантики, поэтому даем текст
полностью:

> Как жаль, что тем, чем стало для меня
> твое существование, не стало
> мое существованье для тебя.
> ...В который раз на старом пустыре
> <u>я запускаю в проволочный космос</u>

> свой медный грош, увенчанный гербом,
> в отчаянной попытке возвеличить
> момент соединения... Увы,
> тому, кто не умеет заменить
> собой весь мир, обычно остается
> крутить щербатый телефонный диск,
> как стол на спиритическом сеансе,
> покуда призрак не ответит эхом
> последним воплям зуммера в ночи.

Смысл этой парафразы: я опускаю в телефонный аппарат монетку, чтобы соединиться с любимой. Но это лишь предметный смысл, на деле же "проволочный космос" намного шире телефонного аппарата -- это вся система сложных нитей связи, создающих возможность или невозможность контакта -- пространство, разделяющее героев и одновременно заключающее возможность связи. "Медный грош, увенчанный гербом" -- это тоже не просто монетка, а еще и бесплодность усилия, его безнадежность, -- коннотация, идущая от выражения "гроша медного не стоит". И все это действие -- "отчаянная попытка возвеличить момент соединения", где соединение понимается не только впрямую в терминах телефонной связи, но и метафорически -- соединение любовное, соединение духовное, соединение как акт преодоления пространства. В стихотворении этого соединения не происходит в силу разницы отношения героев друг к другу, данной в экспозиции стихотворения.

Парафраза у Бродского -- это один из приемов семантической компрессии, компактной передачи сложных мыслей, и приведение ее примеров в отрыве от контекста в большинстве случаев не дает представления о ее роли в стихотворении. В не-

которых же случаях вырванные из контекста примеры просто не-
возможны для понимания. Например, в стихотворении "Лагуна"[47]
парафразы связаны как между собой, так и с теми частями текста, к которым они впрямую не относятся.

Начинается стихотворение с экспозиции: дело происходит
в пансионе "Аккадемиа" -- название итальянское, следовательно,
в одном из итальянских городов; время года -- канун Рождест-
ва; точное место действия -- холл гостиницы с его живым и вещ-
ным пейзажем -- три старухи с вязанием и клерк с гроссбухом.
Во второй строфе появляется и герой стихотворения, глазами
которого и дан интерьер гостиницы в первой строфе. О нем говорится в следующих словах:

> И восходит в свой номер на борт по трапу
> постоялец, несущий в кармане граппу,
> совершенный никто, человек в плаще,
> потерявший память, отчизну, сына;
> по горбу его плачет в лесах осина,
> если кто-то плачет о нем вообще.

Под этой описательной конструкцией автор имеет в виду
себя -- автобиографичность вообще характерная черта Бродского; "граппа", которую герой купил, чтобы отпраздновать Рождество, -- еще одна примета итальянского местного колорита
(couleur locale), в конце же строфы появляется ироническая
фраза, косвенно вводящая тему России в стихотворение (заметим, что символом России у Бродского является не традиционная березка, а осина). Само выражение "по его горбу осина
плачет" -- парафраза, означающая "ему следовало бы понести
наказание". Парафраза эта не авторская, а языковая, однако

поэт возвращает ей утраченную образность, деэтимологизируя
ее добавлением "если кто-то плачет о нем вообще". При этом
старая парафраза приобретает второе новое значение: если кто-
то и плачет о нем, то это родные осины. С другой стороны,
эта новая парафраза означает и "никто о нем не плачет", продолжая тему одиночества постояльца, а в данном случае и ино-
странца.

Наконец из третьей строфы мы узнаем и конкретный город,
в котором происходит действие, -- это Венеция, которая дает
нам ключ не только к названию стихотворения -- Веницийская
лагуна Адриатического моря, но и образности первых двух строф:
пансион плывет к Рождеству, клерк поворачивает колесо, постоялец в свой номер восходит на борт по трапу. Заметим, что
эта морская тема будет проходить через все стихотворение. Отметим также ироничность фразы: "пансион "Аккадемиа" вместе со
/всей Вселенной плывет к Рождеству под рокот", где вместо ожидаемого "моря" появляется "телевизора". Ирония -- один из
важных приемов поэтики Бродского, чаще всего характерного не
для целого стихотворения, а для его частей, ирония вклинивается в серьезное, вступает с ним в определенные, смыслообогащаю-
щие отношения.

В первых трех строфах "Лагуны" дано перемещение постояльца в пространстве -- холл, лестница, номер. Описание последнего включает две парафразы, которые было бы трудно понять без первых двух строф: "коробка из-под /случайных жизней",

т.е. отель, пансион, и "набрякший слезами, лаской, /грязными снами сырой станок", т.е. кровать в номере ("станок" в молодежном жаргоне 60-х годов означал "постель, койка"). Обе парафразы в высшей степени выразительны, во второй из них проявляется оригинальная черта образности Бродского, связанная с мыслью о том, что на вещах остаются не только следы других вещей -- материального, но и чувства, взгляды, мысли и подобные нематериальные явления, которые приходят в соприкосновение с данной вещью (ср. "Пальцы со следами до-ре-ми",[48] "Взгляд оставляет на вещи след".[49] и т.п.); в этой же строфе продолжается "морская образность" -- люстра представлена <u>осьминогом</u>, трельяж зарос <u>ряской</u>, станок <u>сырой</u> из-за влажности морского климата. Морская образность продолжается и в следующей строфе: канал наполняется ветром, как ванна (водой), лодки качаются, как люльки, в окне шевелит штору звезда морская -- сочетание, одновременно реализующее понятие небесного тела и морского животного. Нарушены здесь и другие традиционные черты рождественской символики: лодки-люльки ассоциируются с Вифлеемскими яслями, но над ними встает не привычный вол, а рыба -- животное, чуждое рождественской легенде -- это значение чуждости усиливается самим употреблением иностранного слова -- фиш. Тем не менее это все же Рождество и "фиш" какой-то гранью входит в его сферу -- это, с одной стороны, предок всех сложных биологических существ, в том числе и вола и человека (вспомним фиш, выходящую на кривых ногах из воды в "Колыбельной Трескового Мыса"), с другой стороны, рыба -- прообраз Христа -- смысл, реализующийся в парафразе "предок хордовый твой, Спаситель". Вспомним, что рыба была самым ранним символом Христианства и само слово рыба (по-гречески ихтис) расшифровывалось греками как криптограмма, составленная из начальных букв выражения "Иисус Христос Божий Сын, Спаситель". Наконец, в этой цепочке морских символов Звезда Волхвов получает название морской звезды.

Слова "вол" и "люлька" -- просторечие, означающее "колыбель", "детская кроватка", продолжают русскую тему, которая поддерживается фразой "мертвая вода" в пятой строфе. Былинная формула влаги, символизирующей отсутствие жизни, здесь используется метафорически в смысле "вода в гостиничном графине, которую давно не меняли". "Русская тема" постепенно нарастает в стихотворении; поэт, описывая Италию, подспудно думает о России, невольно сравнивая русскую и итальянскую действительность. На Рождество он ест не птицу-гуся, а леща, само Рождество здесь "без снега, шаров и ели", т.е. не такое, как в России. "Тема России" становится явной в VII строфе, где Венеция и Ленинград (который иногда называют северной Венецией) упоминаются в виде их символических представителей -- сфинксов на Неве и крылатого льва с книгой (отсюда "знающий грамоте") на колонне Святого Марка близ Дворца Герцогов у Лагуны.

В VIII строфе тема России звучит уже в политическом

аспекте: Россия представлена парафразой, характеризующей

"единогласное" решение любого вопроса при любом голосовании

(распространение языковой метафоры "лес рук") под всевидящим

оком партийного лидера (распространение языковой метафоры

"мелкий бес") и чувства страха у каждого голосующего:

> Гондолу бьет о гнилые сваи.
> Звук отрицает себя, слова и
>   слух; а также <u>державу ту</u>,
> <u>где руки тянутся хвойным лесом</u>
> <u>перед мелким, но хищным бесом</u>
> <u>и слюну леденит во рту.</u>

В этой строфе возможна и метафорическая трактовка пер-

вой строки: гондолу -- мысли об окружающей итальянской реаль-

ности бьет о гнилые сваи -- память о советской действитель-

ности, такое понимание непротиворечиво вписывается в морскую

образность предыдущих строф, представленную помимо других

средств и четырьмя парафразами: "предок хордовый" -- рыба,

"сырая страна" -- Италия, "море, стесненное картой в теле" --

Адриатика, "тонущий город" -- Венеция.

Параллельно с морской темой и темой России с VI строфы

начинается одна из ведущих тем поэзии Бродского -- тема Вре-

мени. Время выходит из волн, как богиня Любви на картине Бо-

тичелли "Рождение Венеры", отталкивая раковину, однако в от-

личие от позы богини, обращенной к нам в фас, Время прячет

лицо, видна лишь спина, т.е. время всегда идет от нас, а не

к нам, и цель его выхода лишь сменить стрелку на башне --

в данном случае Колокольне Святого Марка, которая также укра-

шена изображением крылатого льва, -- символ характерный для

ряда зданий Венеции.

К теме времени мы еще вернемся, а сейчас перейдем к следующей, IX строфе, в которой автор, недовольный своей эпохой, показывает ей неприличный жест, совпадающий с жестом льва на колонне, и в силу иронии судьбы очень напоминающий центральную часть советского герба -- скрещенные серп и молот -- символ единства рабочих и крестьян:

> <u>Скрестим же с левой, вобравшей когти,</u>
> <u>правую лапу, согнувши в локте;</u>
>   жест получим, похожий на
> молот и серп -- и как черт Солохе,
> храбро покажем его эпохе,
>   принявшей образ дурного сна.

К данной описательной конструкции жеста имеется и пояснительный ключевой контекст "как черт Солохе". Черт и Солоха -- гоголевские герои из повести "Ночь перед рождеством", находившиеся в интимных отношениях, отсюда ясно, что́ черт мог показать своей возлюбленной, хотя у Гоголя такой сцены и нет.

Три темы -- времени, одиночества и разлуки -- переплетены в Х-ой и XI-ой строфах, которые грамматически являются одним сложным предложением. Лирический герой стихотворения -- "тело в плаще" -- понимает, что в Италии у Софии, Надежды, Веры и Любви нет грядущего, т.е. все это осталось в прежней жизни, в России, во всяком случае, так это ему представляется на сегодняшний день. Этот ряд слов, написанных с большой буквы, одновременно и русские женские имена и в то же время категории христианского и, шире, общечеловеческого мировосприятия (София значит мудрость), отсюда и расширение значения

фразы от невозможности жизни русскими мыслями и чувствами в
Италии, до невозможности всех этих мыслей и чувств с большой
буквы как таковых в будущем, ибо они умирают вместе с человеком. Настоящее же -- это горькие поцелуи женщин: "эбре и
гоек", и прекрасная, но чужая Венеция -- "город, где стопа
следа /не оставляет". (Отметим эффектный строфический перенос из Х-ой строфы в XI-ую, делящий эту строку надвое.) Это
же предложение является заключением русской темы, в последний раз мелькнувшей русским "челном" в противовес итальянской "гондоле", а также последним глухим отзвуком петербург-
ской темы в распространенном сравнении "стопы" с "челном":

<blockquote>
и города, где стопа следа

не оставляет, как челн на глади
водной, любое пространство сзади,
     взятое в цифрах, сводя к нулю,
не оставляет следов глубоких
на площадях, как "прощай", широких,
     в улицах узких, как звук "люблю".
</blockquote>

Упомянутый строфический перенос, единственный в этом
стихотворении, играет здесь и добавочную смысловую роль, подчеркивая отсутствие точки (следа) в конце строфы. В последних двух строках интересны звуковые повторы и сравнения не с
понятиями, а со словами (ср. у Маяковского: "Вошла ·ты, резкая
как "нате!")

Тема прощания с пространством переходит в тему времени
в XII-ой строфе, где дается описание несокрушимой башни с кры-
латым львом, улыбка которого и есть символ времени, бессмерт-
ного и всепоглощающего. Единственная надежда человека состо-

ит в уповании на возможность существования "за нигде" какой-нибудь вещи, предмета или тела, т.е., другими словами, той или иной формы Путеводной Звезды, Источника Бытия, Высшего Разума или Бога:

> Там, за нигде, за его пределом
> -- черным, бесцветным, возможно, белым --
>   есть какая-то вещь, предмет.
> Может быть, тело. В эпоху тренья
> скорость света есть скорость зренья;
>   даже тогда, когда света нет.

Мысль эта -- выход из личного в универсальное; она становится годной не только для героя стихотворения, но и для любого читателя. Впрочем, и сам автор на протяжении всего стихотворения избегает какой-либо индивидуальной детализации -- это третье лицо, без имени, без профессии, без внешности -- "постоялец", "совершенный никто", "человек в плаще", "прохожий с мятым лицом", поэтому и идентификация с ним не представляет большого труда, ибо каждый из нас перед лицом будущего "человек в плаще".

Мы провели анализ "Лагуны", чтобы продемонстрировать использование Бродским парафразы для выражения сложных смысловых связей на уровне целостного художественного текста. Так как парафразы находятся в тесном взаимодействии с другими приемами поэтического текста и являются его неотъемлемой частью, анализ неизбежно захватывает и то, что непосредственно не входит в контекст парафраз, которые, однако, в отвлеченном виде частично теряют свою семантику, а следовательно , и художественность.

3. Сравнение и его фокусы

Интеллектуальное познание как способ поэтического освоения мира в творчестве поэтов-метафизиков сказалось на всей природе их образного мышления. Для поэта-метафизика образность перестала служить целям иллюстративности и орнаментальности, она стала мощным аналитическим инструментом, способствующим движению мыслительного процесса, аргументации положений, оправданию парадоксальных суждений. Поэт-метафизик в меньшей степени зависел от образных клише школы или направления, чем поэт-лирик. У него не было высоких, низких, непоэтических или вульгарных сфер в применении к поэзии, ибо не только эстетическое, но все происходящее вокруг и внутри него было темой, источником и материалом его поэтического видения. Отсюда сравнения и метафоры метафизиков из различных областей человеческой деятельности, традиционно исключавшихся из сферы эстетического -- геометрии, географии, (ал)химии, астрономии, медицины, быта, купли-продажи, секса и т.д., отсюда же отказ от деления языка на высший, средний и низший стили, рассмотрение его как логически-точного и эмоционально - правдивого средства человеческого общения.

Все сказанное выше о метафизиках во многих отношениях применимо к Бродскому, которого можно назвать блестящим продолжателем некоторых положений школы Джона Донна, усвоившим

не букву, а дух, не плоды, а принципы. Хрестоматийное рас-
пространенное сравнение двух душ любовников с ножками циркуля в стихотворении Донна "Прощанье, запрещающее грусть" ("A Valediction: forbidding mourning")[50] -- яркий пример образности вне традиционной эстетики, с одной стороны, и неорнаментальности мыслераскрывающего ее применения, с другой:

> If they be two, they are two so
>   As stiffe twin compasses are two,
> Thy soule the fixt foot, makes no show
>   To move, but doth, if the'other doe.
>
> And though it in the center sit,
>   Yet when the other far doth rome,
> It leanes, and hearkens after it,
>   And growes erect, as that comes home.
>
> Such wilt thou be to mee, who must
>   Like th'other foot, obliquely runne;
> Thy firmness makes my circle just,
>   And makes me end, where I begunne.

Даем эти строфы на русском языке в переводе Бродского, уже в ранний период своего творчества хорошо знавшего, ценившего и переводившего как Донна, так и других метафизиков:

> Как циркуля игла, дрожа,
> Те будет озирать края,
> Не двигаясь твоя душа,
> Где движется душа моя.
>
> И станешь ты вперяться в ночь
> Здесь, в центре, начиная вдруг
> Крениться, выпрямляться вновь,
> Чем больше или меньше круг.
>
> Но если ты всегда тверда
> Там, в центре, то должна вернуть
> Меня с моих кругов туда, [51]
> Откуда я пустился в путь.

Любопытно отметить, что в какой-то мере принципы английской метафизической поэзии в этом плане совпадали с принципами русского классицизма, также сыгравшего определенную роль в становлении Бродского. У Кантемира, например, в его восьмой сатире "На бесстыдную нахальчивость" употребление распространенного сравнения из области быта для демонстрации высказываемой идеи сходно с принципами сравнения у метафизиков. Стихотворение это интересно и сходностью точек зрения на слово как орудие рационального, а не только эстетического:

> Много ль, мало ль напишу стишком, -- не пекуся,
> Но смотрю, чтоб здравому смыслу речь служила,
> Не нужда меры слова беспутно лепила;
> Чтоб всякое, на своем месте стоя, слово
> Не слабо казалося, ни столь лишно ново,
> Чтоб в бесплотном звуке ум не мог понять дело...
> Видал ли искусного когда рудомета,
> В жирном теле кровь пущать больному в отраду?
> Руку сего обвязав, долго, часто, сряду
> Напруженну щупает жилу сверху, сбоку
> И, сталь впустив, смотрите, чтоб не весьма глубоку,
> Ни узку, ни широку распороть в ней рану,
> Чтоб не проткнуть, чтоб под ней не нанесть изъяну.
> Того осторожности точно подражаю,
> И когда стихи пишу, мню, что кровь пущаю.[52]

Эти два сравнения при своей общности (направленность на интеллектуальное) явно разнятся по своей структуре. Очевидно понятие распространенного сравнения включает в себя два разных типа: сопоставительный (аналитический) и метафорический (синтетический) -- описание одного предмета в терминах другого.

Сопоставительное сравнение очень частотно в русской литературе. К этому типу относится вышеприведенное распространенное сравнение поэта с рудометом* у Кантемира, в качестве

---

* руда -- кровь; рудомет -- лекарь, пускающий кровь.

другого примера дадим распространенное сопоставительное сравнение на уровне всего стихотворения у Баратынского:

Чудный град порой сольется
Из летучих облаков,
Но лишь ветр его коснется,
Он исчезнет без следов.

Так мгновенные созданья
Поэтической мечты
Исчезают от дыханья
Посторонней суеты.[53]

Метафорические сравнения встречаются намного реже. Приведем здесь стихотворение Пушкина "Телега жизни" -- пример распространенного метафорического сравнения на уровне всего стихотворения:

Хоть тяжело подчас в ней бремя,
Телега на ходу легка;
Ямщик лихой, седое время,
Везет, не слезет с облучка.

С утра садимся мы в телегу;
Мы рады голову сломать
И, презирая лень и негу,
Кричим: пошел! ебена мать.

Но в полдень нет уж той отваги;
Порастрясло нас; нам страшней
И косогоры и овраги;
Кричим: полегче, дуралей!

Катит попрежнему телега;
Под вечер мы привыкли к ней
И дремля едем до ночлега,
А время гонит лошадей.[54]

Здесь о жизни говорится как о поездке в телеге: телега -- жизнь, мы -- седоки, ямщик -- время, утро -- молодость, полдень -- зрелость, вечер -- старость, косогоры и овраги -- превратности жизни, ночлег -- смерть.

Более сложным примером метафорического распространенного сравнения является часть стихотворения Пастернака "Разлука", где о любви и о взаимоотношениях любящих говорится в терминах моря:

Она была так дорога
Ему чертой любою,
Как морю близки берега
Всей линией прибоя.

Как затопляет камыши
Волненье после шторма,
Ушли на дно его души
Ее черты и формы.

В года мытарств, во времена
Немыслимого быта
Она волной судьбы со дна
Была к нему прибита.

Среди препятствий без числа,
Опасности минуя,
Волна несла ее, несла
И пригнала вплотную.[55]

От распространенного сравнения следует отличать цепочку независимых друг от друга сравнений, призванных лишь усилить чувство или впечатление, выражаемое поэтом в стихотворении:

Как песня матери
над колыбелью ребенка,
как горное эхо,
утром на пастуший рожок отозвавшееся,
как далекий прибой
родного, давно не виденного моря,
звучит мне имя твое
трижды блаженное:
        Александрия!
                (Кузмин)[56]

Подобный прием нанизывания сравнений нехарактерен для Бродского и встречается лишь в одном его раннем стихотворе-

нии об апокалиптическом черном коне, абсолютная чернота которого выражена такими образными деталями:

> Не помню я чернее ничего.
> Как уголь, были ноги у него.
> Он черен был, как ночь, как пустота.
> Он черен был от гривы до хвоста.
>
> ....
>
> Он черен был, не чувствовал теней.
> Так черен, что не делался темней.
> Так черен, как полуночная мгла.
> Так черен, как внутри себя игла.
> Так черен, как деревья впереди.
> Как место между ребрами в груди.
> Как ямка под землею, где зерно.
> Я думаю: внутри у нас черно.57

Цепочка сравнений здесь, к слову сказать, более иллю-
стративна, чем у Кузмина, она призвана выразить высшую степень одного и того же качества, поэтому каждое новое сравнение образно усиливает впечатление предельной черноты; к тому
же, сравнения, составляющие у Бродского цепочку, конкретно-
предметны, а у Кузмина абстрактно-умозрительны.

Принцип нанизывания в цепочке сравнений, качественно
отличается от принципа корреляции сравнений в стихотворении,
где одно сравнение поддерживается другим. Примером такой корреляции сравнений может служить стихотворение Бродского "Садовник в ватнике":

> Садовник в ватнике, как дрозд
> по лестнице на ветку влез,
> тем самым перекинув мост
> к пернатым от двуногих здесь.
>
> Но, вместо щебетанья, вдруг,
> в лопатках возбуждая дрожь,
> раздался характерный звук:
> звук трения ножа о нож.

> Вот в этом-то у певчих птиц
> с двуногими и весь разрыв
> (не меньший, чем в строеньи лиц)
> что ножницы, как клюв раскрыв,
>
> на дереве в разгар зимы,
> скрипим, а не поем как раз.
> Не слишком ли отстали мы
> от тех, кто "отстает от нас"?
>
> Помножив краткость бытия
> на гнездышки и забытье
> при пеньи, полагаю я,
> мы место уточним свое. [58]

Сравнение садовника с дроздом, заданное в первой строке, -- не демонстрация "хищного глазомера" или изобретатель-
ного ума поэта, другими словами, не декоративное сравнение.
Оно приведено для раскрытия каких-то особых положений поэтического мышления, а посему не брошено отдельным вне всякой
связи ярким мазком, а логически и метафорически тянет за собой весь последующий контекст, основанный на оппозициях, про-
должающих тему:

```
садовник       -- дрозд
двуногие       -- пернатые
звук трения    -- щебетание
ножницы        -- клюв
скрипим        -- поем
```

Садовник похож на дрозда, сидящего на ветке; лестница,
по которой он влез на дерево, символически перерастает в понятие моста от двуногих к пернатым. Однако в птицу человек
не превращается: вместо щебетанья с дерева раздается лязг нож-
ниц. Ножницы дополняют картину похожести садовника на дрозда -- они имеют форму открытого клюва, но результат действия
разный: вместо пения слышно лишь скрипение. За внешним подо-

бием вскрывается глубинная разница, заставляющая поэта ставить вопрос:"не слишком ли отстали мы /от тех, кто "отстает от нас?" -- парафраза, означающая животный мир, а в данном контексте -- пернатых. Таким образом, частное и случайное сходство садовника в ватнике с дроздом перерастает в общую метафизическую проблему места человека и птицы в иерархии бытия, причем критерием оценки является не привычный уровень развития по Дарвину, а умение петь. Поэт бросает здесь вызов общепринятой точке зрения, тем самым возвращая вопросу свежесть и остроту. Действительно, если за абсолютный критерий принять пение, то примат человека над птицей нуждается в пересмотре, тем более учитывая "краткость бытия" птички и ее "забытье при пении".

Итак, в стихотворении "Садовник в ватнике" осуществляется корреляция нескольких сравнений одного и того же семантического поля, корреляция, привлекаемая в первую очередь для иллюстрации идейного контекста стихотворения, а не с целью придания ему образного блеска.

Продолжая разговор о сравнениях, следует отметить, что у Бродского распространенное сравнение обычно компактнее и оформлено не так, как у метафизиков и русских классиков. Однако, он намного ближе к англичанам, чем к своим русским поэтам-предшественникам, в творчестве которых удельный вес декоративности в сравнениях превышает рациональное. При этом не следует понимать декоративность как нечто лучшее или худшее, чем любая другая ориентация на любую другую художественную практику. Просто у Бродского, отнюдь не чуждого декоративности в сравнениях, превалирует интеллектуальное при их отборе и использовании. Если мы сформулируем роль сравнения в поэзии 19-ого и первой половины 20-ого века в самых общих чертах (отвлекаясь от каждого данного поэта) как передачу эстетически-чувственного или/и поэтически-музыкального, то в поэзии Бродского роль сравнения качественно иная -- через неожиданное сопоставление способствовать раскрытию сущности вещей и явлений.

Интересный факт: если поэты 18-ого и 19-ого века в основном пеклись об уместности сравнения в стихе, поэты 20-ого века делают главный упор на его броскую оригинальность. Наиболее характерные примеры тому -- Маяковский, Пастернак и Заболоцкий, хотя ориентацию на сногсшибательность можно найти почти у всех, кроме разве Мандельштама и Ахматовой. Чем оригинальнее, тем лучше: "Улица провалилась, как нос сифилитика" (Маяковский), "Был мак, как обморок глубок" (Пастернак), "Тучи с ожереба ржут, как сто кобыл" (Есенин), "Прямые лысые мужья сидят, как выстрел из ружья" (Заболоцкий). По-видимому, перенос ориентации с уместности на неожиданность более соответствовал вкусам эпохи, при этом критерий уместности, уходя на второй план, вовсе не исчезал и в лучших стихах вышеназванных (и других) поэтов,гармонически сочетался с принципом оригинальности. В свете всего вышеизложенного образная практика Бродского предстает как желание снова следовать примату уместности, не теряя при этом из вида достижения поэтов двадцатого века в изобретательности и новизне.

В связи с этим необходимо подробнее остановиться на структурных типах сравнения у Бродского. Собственно простых сравнений типа "Твой ум глубок, что море, /Твой дух высок, что горы" (Брюсов) у Бродского почти нет. В его сравнениях всегда обнаруживается та или иная степень развернутости. Вообще простое сравнение художественно осуществимо при условии сближения объектов, схожесть которых по тем или иным параметрам не нуждается в дополнительном разъяснении, очевидна при самом факте их сопоставления. У Бродского, как правило, сближаются объекты настолько далекие вне данного поэтического опыта, что без уточняющего распространения не воспринимаются читателем как сопоставления:

> деревья, как легкие
> река, как блузка
> мозг, как башня небоскреба

Распространение, зачастую метафорическое, обнажает для читателя логическую мотивировку сравнения:

Голые деревья, как легкие на школьной диаграмме.[59]

Река -- как блузка, на фонари расстегнутая[60]

> Мозг чувствует как башня небоскреба,
> в которой не общаются жильцы.[61]

Во многих случаях Бродский пользуется сравнениями, основание которых выражено глаголом, то есть один объект сравнивается с другим не по подобию некоторых признаков, а по сходству действия:

> И улыбка <u>скользнет</u> точно тень грача
> по щербатой изгороди...[62]

> И золотистая бровь, как закат на карнизе дома,
> <u>поднимается</u> вверх...[63]

Чаще у Бродского при общем глагольном действии между элементами сравнения имеется и связь по форме:

> На пустой голове бриз шевелит ботву,
> и улица вдалеке <u>сужается</u> в букву "у",
> как лицо к подбородку, и лающая собака
> <u>вылетает</u> из подворотни, как скомканная бумага.[64]

> Октябрь. Море поутру
> лежит щекой на волнорезе.
> Стручки акаций на ветру,
> как дождь на кровельном железе,
> <u>чечетку выбивают</u>. Луч
> светила, вставшего из моря,
> скорей пронзителен, чем жгуч;[65]

Мостовая <u>блестит</u> как чешуя на карпе.[66]

Отметим элементы сходства в сопоставляемых объектах в данных примерах: собака белого или грязно-белого цвета действительно похожа на скомканную бумагу; мостовая, сложенная из отдельных камней, напоминает чешую рыбы; стручки акаций похожи на капли дождя; а улица сужается как лицо. В первом и последнем случае подобие подкрепляется и на фонетическом уровне: собака -- бумага, улица -- лицо.

Можно говорить и об интеллектуальной сопоставимости в некоторых глагольных сравнениях Бродского:

> Конец июля <u>прячется</u> в дожди,
> как собеседник в собственные мысли.[67]

Последнее сравнение интересно и другой своей чертой: в

нем сопоставляется не один объект с другим, а отношение одной пары объектов с другой: июль :: дожди -- собеседник :: мысли. Такие двухфокусные сравнения -- самый характерный тип у Бродского и являются броской приметой его художественного стиля. Поэтому на их структуре стоит остановиться особо. В приведенном примере сравниваемые пары лишены подобья -- "июль" не имеет ничего общего с "собеседником", а "дожди" с "мыслями", сравнение это держится исключительно на глаголе и в чистом виде умозрительно. Приведем еще несколько примеров таких двухфокусных умозрительных сравнений:

Человек размышляет о собственной жизни,
как ночь о лампе.[68]

Я тьму вытесняю посредством свеч
как море -- трехмачтовик, давший течь.[69]

Дворцы промерзли,
и ждет весны в ночи их колоннада
как ждут плоты на Ладоге буксира.[70]

Более сложными по семантике являются двухфокусные сравнения, между парными компонентами которых осуществляется не только связь по подобию действия, но и по сопоставимости самих объектов:

Под белой колоннадою дворца
на мраморных ступеньках кучка смуглых
вождей в измятых пестрых балахонах
ждет появленья своего царя,
как брошенный на скатерти букет --
заполненной водой стеклянной вазы.[71]

Здесь обнаруживается подобие по визуальному впечатлению между первыми членами пар сравнения: кучка вождей в пестрых балахонах похожа на брошенный букет цветов; вторые же чле-

ны пар несопоставимы. Наиболее искусными являются двухфокусные сравнения с полным сопоставлением пар по форме:

Средиземнее море шевелится за огрызками колоннады,
как соленый язык за выбитыми зубами.[72]

Веко хватает пространство, как воздух -- жабра.[73]

Вдали буфетчик, стискивая руки,
дает круги как молодой дельфин
вокруг хамсой заполненной фелюки.[74]

В последнем примере один из объектов первой пары дан
имплицитно, но он легко восстанавливается из контекста: буфетчик дает круги вокруг буфета, как дельфин вокруг фелюки.
Подобный пропуск одного из компонентов пары неединичен среди
двухфокусных сравнений Бродского:

Мозг бьется, как льдинка о край стакана[75]

(пропущено: мозг бьется о череп)

И луна поправляет лучом прилив
как сползающее одеяло.[76]

(предполагается: как человек рукой сползающее одеяло).

Двухфокусные сравнения несомненно преобладают в стихах
Бродского, но наряду с ними встречаются и другие типы. Поэт
часто пользуется распространенными сравнениями с глагольным
основанием. Глагол вообще обладает неисчерпаемыми ресурсами
в деле сближения объектов, благодаря возможности игры не только на его прямом, но и на переносных значениях, а также на
многочисленных идеоматических глагольных комбинациях:

и жизнь проходит в переулках,
как обедневшая семья[77]

Шумят пачки новеньких ассигнаций,
словно вершины берез, акаций[78]

> Деньги обычно <u>летят на ветер</u>
> не хуже честного слова.[79]

Любопытен случай перехода одного из компонентов двухфокусного сравнения в метафору: "Сердце скачет как белка в хворосте /ребер" -- результат трансформации сравнения "сердце в ребрах скачет как белка в хворосте" с появлением метафоры "хворост ребер". Игра на многозначности встречается у поэта и при основаниях сравнения, выраженных прилагательным:

> Запах старого тела острей, чем его очертанья[80]

Что же касается метода сопоставления компонентов сравнения у Бродского, ясно, что интеллектуальное восприятие чаще всего коррелирует с визуальным. Отсюда обилие сравнений, основанных на сходстве формы:

> ... груда тарелок выглядит на плите
> как упавшая пагода в профиль.[81]

> Флаг в подворотне, схожий с конской мордой,
> жует губами воздух.[82]

> И как книга, раскрытая сразу на всех страницах,
> лавр шелестит на выжженной балюстраде.[83]

Иногда компоненты сравнения поддерживаются сближениями на фонетическом уровне:

> В проулке тихо, как в пустом пенале[84]
>   (аллитерация на -п)

> Летает дрозд, как сросшиеся брови[85]
>   (дро-   сро-   бро-)

> И жизнь течет, как текила[86]
>   (теч-   тек-)

В данном случае важно не только то, что "текила" как бы образована от глагола "течь", но и уместность этого сравнения

в контексте стихотворения о мексиканской жизни. Заканчивая
анализ сравнений у Бродского, заметим, что, разбирая их содержание и структуру, мы отвлекались от непосредственного
контекста сравнений и поэтому не рассматривали вопрос об их
уместности. Об этом речь пойдет в дальнейшем в соответствующих микроразборах отдельных стихотворений.

Наряду с тематическим разнообразием сравнений у Бродского нельзя не отметить большого количества "рыбных сравнений" в его текстах:

> Тень. Человек в тени,
> словно рыба в сети.[87]

> Пусть же в сердце твоем,
> как рыба, бьется живьем
> и трепещет обрывок
> нашей жизни вдвоем.[88]

> Жалюзи в час заката подобны рыбе,
> перепутавшей чешую и остов.[89]

Рыбные сравнения являются составной частью морской образности, которая по каким-то причинам особенно привлекает поэта.

Менее частотными, но все же достаточно часто повторя-
ющимися, чтобы иметь повод выделить их в отдельный класс, являются "нотные", "буквенные", "часовые" и "математические"
сравнения, на которых мы здесь не будем останавливаться.

4. Гармония и геометрия

У каждого поэта можно найти пристрастие к какой-либо форме выражения, некие любимые образы, мысли, обороты речи, символику. Эти любимые образы повторяются в разных стихах и в конечном счете делаются особой приметой его поэтического стиля. Об одном из таких пристрастий Бродского -- "рыбных сравнениях" мы упомянули выше. Другим пристрастием является тяга к геометрической образности, т.е. рассуждения о мире в терминах геометрии -- прием, несомненно ведущий свое начало от школы Донна и, даже уже, от его "циркуля", следы которого явно видны в "Горбунове и Горчакове" в VII-ой части:

> "Я радиус расширил до родни".
> "Тем хуже для тебя оно, тем хуже".
> "Я только ножка циркуля. Они --
> опора неподвижная снаружи".
> "И это как-то скрашивает дни,
> чем шире этот радиус?" "Чем уже.
> На свете так положено: одни
> стоят, другие двигаются вчуже".
> "Бывают неподвижные огни,
> расширенные радиусом лужи".
>
> "Я двигаюсь!" "Не ведаю, где старт,
> но финиш -- ленинградские сугробы".[90]

В стихотворении "Семь лет спустя" любящие представлены в виде точек, слившихся друг с другом:

> Так долго вместе прожили без книг,
> без мебели, без утвари, на старом
> диванчике, что -- прежде, чем возник --
> был треугольник перпендикуляром,
>   восставленным знакомыми стоймя
>   над слившимися точками двумя,[91]

где перпендикуляр -- полная любовь и взаимопонимание пред-
шествовал треугольнику, понимаемому в этом контексте как геометрически, так и в смысле "любовный треугольник" -- вернее,
последнее и дает толчок геометрическому сравнению.

В другом стихотворении лирический герой и умершая героиня представляются прямыми, сошедшимися в одной точке, чтобы
снова расстаться:

> Как две прямых расстаются в точке,
> пересекаясь, простимся. Вряд ли
> свидимся вновь, будь то Рай ли, Ад ли.
> Два этих жизни посмертной вида
> лишь продолженье идей Эвклида.
>   ("Памяти Т.Б.")[92]

В шутливом ключе геометрия пронизывает стихотворение
"В отеле 'Континенталь'":

> Победа Мондриана. За стеклом --
> пир кубатуры. Воздух или выпит
> под девяносто градусов углом,
> иль щедро залит в параллелепипед.
> В проем оконный вписано, бедро
> красавицы -- последнее оружье:
> раскрыв халат, напоминает про
> пускай не круг хотя, но полукружье,
> но сектор циферблата.
>   Говоря
> насчет ацтеков, слава краснокожим
> за честность вычесть из календаря
> дни месяца, в которые "не можем"
> в платоновой пещере, где на брата
> приходится кусок пиэрквадрата.[93]

В терминах геометрии Лобачевского с ее возможностью
встречи параллельных линий говорится о новой жизни, связанной с переменой "империи" и о последствиях этой перемены:

> Перемена империи связана с гулом слов,
> с выделеньем слюны в результате речи,
> с лобачевской суммой чужих углов,

с возрастаньем исподволь шансов встречи
параллельных линий (обычной на
полюсе). И она,   ...
        ("Колыбельная Трескового Мыса")[94]

А вот невеселые размышления о горечи разлуки и том, как
время и судьба меняют человека, его отношение к миру, к прош-
лому и к любимой в стихотворении "То не Муза воды набирает в
рот":

Навсегда расстаемся с тобой, дружок.
Нарисуй на бумаге простой кружок.
Это буду я: ничего внутри.
Посмотри на него -- и потом сотри.[95]

Одним из примеров геометрической образности у Бродского
является стихотворение "Пенье без музыки",[96] на котором хочется остановиться особо. Сама тема, на первый взгляд весьма
традиционная -- тоска по поводу разлуки с любимой, -- представлена в таком образном ключе, оригинальность которого является совершенной неожиданностью для читателя, который не может вспомнить ничего похожего хотя бы отдаленно из того, что
в критике обычно называют "русской поэтической традицией".
Весьма любопытно, что Бродский как раз и начинает с такого
традиционного романтического клише-зачина: "Когда ты вспом-
нишь обо мне /в краю чужом --", и тут же отбрасывает его, чтобы, по-видимому, больше к нему не возвращаться. Отвергает
он эту фразу не только потому, что она представляется ему тра-
фаретной -- она ему кажется и поэтически ложной, ибо само это
утверждение с его точки зрения предполагает обязательность
чувства со стороны героини, в котором он не совсем уверен,

поэтому для поэта фраза оказывается гипотетической, она "всего лишь вымысел, а не /пророчество".

Далее в стихотворении появляется еще одна на первый взгляд трафаретная тема -- слез при воспоминании -- "глаза, вооруженного слезой". Однако, эти две темы находятся совсем в иной не традиционной связи друг с другом: "глаз, вооруженный слезой" оказывается негодным инструментом для предсказания возможного времени воспоминания, поэтому глаз как инструмент, вернее, активное начало, вооруженное инструментом -- слезой, неожиданно сравнивается с другим инструментом из совершенно непредсказуемой области -- рыбной ловли: слеза сравнивается с лесой, которая вытаскивает, как рыб, даты из омута времени; однако, это сравнение отрицательное -- "не вытащишь" -- и не полностью эксплицитное. За этим сравнением читателя опять ждет неожиданность -- поэт, как бы противореча самому себе, снова возвращает его к первому предложению, впрочем, несколько модифицируя его: вместо "в краю чужом" появляется сказочная формула "за тридевять земель и за морями" (возможное продолжение клише "за горами, за долами" опущено). Читатель обнаружит впоследствии, что эти сказочные формулы, оказывается, имеют реальное значение: любимая действительно отделена от лирического героя реальным земным географическим пространством, включающим сушу (страны) и моря (океан). Слово "все-таки", которое следует далее, отменяет первоначальное сомнение поэта в краткости памяти героини, конечно же, она его вспомнит, даже несмотря на тот факт, "что слеза, за исключением былого, все уменьшает", не может не вспомнить, хотя бы "в форме эпилога" их отношений, и даже не вспомнит, а "вспомянет" -- церковно-славянское высокое слово, тянущее за собой не просто год, а "Лето Господне". И, наконец, третье клише традиционной любовной лирики "и вздохнешь" тут же отменяется запретом или советом "о не вздыхай!". Но предложение не останавливается -- в третий раз звучит тема расстояния (моря́, поля́) и, наконец, заключается уже знакомым нам из стихотворения "Прощайте, мадмуазель Вероника" математическим образом "толпы нулей", означающим разлуку, возможно, бесконечную, при этом толпа нулей возглавляется самой героиней. Этим заканчивается первое предложение стихотворения, обнимающее пять строф.

Второе предложение, более короткое, на две строфы, заканчивает экспозицию темы, глухо намекая на причину разлуки, явившейся следствием "гордыни твоей" или "слепоты моей", и одновременно вводит нас в главную тему -- попытку героя, упрекающего себя в недостаточно заботливом отношении к любимой ("ограждал так плохо тебя от бед") и чувствующего себя "кругом в долгу", избавить ее от вздоха. Это избавление от вздоха или, другими словами, утешение в разлуке и становится основной целью стихотворения, которое в конечном счете есть и послание любимой -- письмо, имеющее для автора вполне определенный адресат.

Третье, заключительное предложение первой части (стихотворение состоит из трех частей), обнимающее шесть строф, указывает более определенно на существование средства избавления от вздоха -- некой вещи, обладающей способностью утешить или "занять воображенье в стиле рассказов Шахразады". Последнее произносится с видимой долей самоиронии: "настолько-то мой голос вещ". Что это за средство, или что это за вещь, читателю пока не сообщается, и он заинтригован. Говорится лишь о присутствии этой вещи в будущем, грядущем, с чего и начинается первая строчка маленького предложения-сентенции, предваряющего разговор о вещи: "Грядущее есть форма тьмы, /сравнимая с ночным покоем." За этим следует уже известный нам из других стихотворений взгляд поэта на будущее: мы о нем "не знаем ничего", и (в обращении к любимой): "порознь нам суждено с тобой в нем пребывать". Здесь поэт спохватывается, что, так как они разлучены, это грядущее уже настало, его приметы или "улики" -- "рев метели", (что по контрасту заставляет нас осознать добавочное значение лета как времени года в выражении "Лето Господне") и "превращенье крика в глухое толковище слов", т.е. замещение непосредственных эмоций медитацией о них.

Обещая занять воображение любимой в стиле рассказов Шахразады, поэт углубляет это в начале, по-видимому, ироническое сравнение. Общее у него с Шахразадой -- способность отвлечь, но есть и разница: Шахразада рассказывала сказки султану для того, чтобы оттянуть день своей казни, т.е. под страхом смерти; у поэта же этот страх смерти не простой, а особый "посмертный", т.е. не смерть сама его страшит как физиологический акт, а мысли при жизни о посмертном небытии, о Ничто.

Кроме постановки темы, в заключительном предложении первой части говорится и о способе преподнесения материала, поэт будет говорить "на языке родных осин" -- ироническая фраза, употребленная Тургеневым в эпиграмме Н.Х. Кетчеру, своему другу и первому переводчику Шекспира, в значении "на незатейливом русском языке":

> Вот еще светило мира!
> Кетчер, друг шипучих вин;
> Перепер он нам Шекспира
> На язык родных осин.97

В стихотворении же Бродского это выражение преобретает и второй смысл -- "на геометрическом языке", т.е. на том языке, на котором и могут говорить бессловесные осины, создавая своими тенями фигуры на снегу:

>   ...   -- позволь же
>
> сейчас, на языке родных
> осин, тебя утешить; и да
> пусть тени на снегу от них
> толпятся как триумф Эвклида.

На этом-то геометрическом языке родных осин и будет поэт разговаривать с любимой во второй части стихотворения.

Вторая часть начинается тем же предложением, что и первая, однако, сказочные и романтические приметы, следующие за ним, значительно видоизменяются, прозаизируются: "за триде-

вять земель" из метафоры, означающей большое расстояние, превращается в математическое число: три умноженное на девять
(по старинной русской системе счета девятками), а слеза -- в
каплю влаги.   Три умноженное на девять говорит о возможности
нахождения любимой в одной из двадцати семи стран, но в стихотворении говорится о 28 возможностях; эта еще одна возможность предполагается за пределами этих 27-ми стран.

За этой частью длинного шестистрофного предложения следует геометрическое развернутое сравнение любовников с точками, находящимися в разных местах пространства, которые мысленно из середины воображаемой соединяющей их прямой восстав-
ляют перпендикуляр к небу.   Если теперь любовники поднимут
глаза к воображаемой вершине этого перпендикуляра, то взгляды их пересекутся, образуя в результате фигуру треугольника:

            ...   итак, разлука

        есть проведение прямой,
        и жаждущая встречи пара
        любовников -- твой взгляд и мой --
        к вершине перпендикуляра

        поднимется, не отыскав
        убежища, помимо горних
        высот, до ломоты в висках;
        и это ли не треугольник!

Здесь поэт ловит себя на мысли, что обычно слово треугольник в применении к любви означает совсем иное (мы уже
встретились с подобным случаем в стихотворении "Семь лет спустя"), и в следующем предложении на три строфы разворачивает
сравнение геометрической фигуры и любовной коллизии с ее рев-

ностью и горячкой противоречивых чувств:

> Рассмотрим же фигуру ту,
> которая в другую пору
> заставила бы нас в поту
> холодном пробуждаться, полу-
>
> безумных лезть под кран, дабы
> рассудок не спалила злоба;
> и если от такой судьбы
> избавлены мы были оба --
>
> от ревности, примет, комет,
> от приворотов, порч, снадобья
> -- то, видимо, лишь на предмет
> черчения его подобья.

Следующее шестистрофное предложение начинается с сентенции "теснота, незрячесть объятия -- сама залог незримости в разлуке", т.е. чем сильнее мы друг друга любили, тем труднее нам представить друг друга в разлуке. Теснота объятий -- минимум пространства -- вызывает его (пространства) месть -- разлучение любящих (от физического "луч"), расставление их от точки слияния, т.е. превращение их в две точки:

> ...   прячась
>
> друг в друге, мы скрывались от
> пространства, положив границей
> ему свои лопатки -- вот
> оно и воздает сторицей
>
> предательству;

где "прячась друг в друге" имеет как сексуальную, так и духовную коннотацию (две стороны любви), и знаменует временную победу над пространством, сведение его на нет или, другими словами, выражает мысль о том, что любовь способна побеждать пространство, и есть некий способ борьбы с ним. Это же пред-

ложение содержит геометрическую символику: чистая бумага --
это символ пространства, разбив которое на градусы, можно
найти "зависимость любви от жизни".

Следующее четырехстрофное предложение продолжает геометрическое сравнение в терминах треугольника -- взгляды каждого из любовников представлены как катеты, скрещивающиеся
в стратосфере, что в свою очередь тянет за собой сравнение
следующей строфы, одно из любимых у Бродского:

> Так двух прожекторов лучи,
> исследуя враждебный хаос,
> находят свою цель в ночи,
> за облаком пересекаясь;

Однако цель этого пересечения не нахождение точки (ми-
шени), а угла, понимаемого в двух значениях -- геометрически
и метафорически, т.е. угол в значении места для жизни (у нас
есть свой угол). Этот угол для любящих где-то в надвоздуш-
ном пространстве и есть та вещь, обещанная поэтом любимой в
качестве утешения в первой части стихотворения. Этот угол
есть то, что любящим "дано" -- слово геометрического языка
доказательства теоремы наравне с другими, использовавшимися
ранее: восставь перпендикуляр, проведи прямую, рассмотрим фигуру, представь пропорцию, разбей чертеж на градусы, зависимость, нам известно, катет, теорема, угол. (Представьте поэта,
которого попросили написать стихотворение, используя данные
слова.) Слово "дано" написано заглавными буквами; поэт как бы
хочет подчеркнуть его лексическую значимость, его многосмыс-
лие: "дано" следует понимать и как термин геометрического язы-

ка и как что-то, данное любящим свыше.

Следующие три строфы синтаксически представляют контраст по отношению к предыдущим, так как содержат ряд кратких, иногда в одно слово, предложений. Поэт описывает этот
умозрительный угол, где он может встречаться с любимой, как
реально существующее место, снова возвращаясь к лексике романтической поэзии: "грот", "беседка", "приют". Переход от
сложных многострофных предложений к однострочным и даже одно-
словным знаменует переход от логического анализа к характе-
ристике найденного в результате него объекта:

> Вот то, что нам с тобой ДАНО.
> Надолго. Навсегда. И даже
> пускай в неощутимой, но
> в материи. Почти в пейзаже.
>
> Вот место нашей встречи. Грот
> заоблачный. Беседка в тучах.
> Приют гостеприимный. Род
> угла; притом, один из лучших
>
> хотя бы уже тем, что нас
> никто там не застигнет. Это
> лишь наших достоянье глаз,
> верх собственности для предмета.

Сентенция, заканчивающая строфу, точна и изящна; походя отметим, что сентентичность -- одно из оригинальных ка-
честв поэзии Бродского, сентенции его всегда умны и уместны,
несмотря на их порой дерзкую парадоксальность, что, впрочем,
с поэтической точки зрения скорее плюс, чем минус. Вспомним,
что в данном стихотворении это уже третья сентенция; первой
была "грядущее есть форма тьмы" и второй -- "незрячесть объятия -- залог незримости в разлуке".

Продолжая описывать этот данный любящим угол, поэт начинает говорить о нем как о месте жительства и даже о "гнез-
де" -- слово, имеющее две коннотации: птичье, находящееся высоко, и гнездо влюбленных. В это гнездо любящие сносят свой
скарб и хлам, однако эти слова употреблены в метафорическом
контексте, который возвращает нас к умозрительности существования гнезда: "скарб мыслей одиноких" и "хлам невысказан-
ных слов". Заканчивается это четырехстрофное предложение
продолжением геометрического образа: каждый из любовников
живет в своем реальном угл$\frac{e}{y}$, а это в терминах геометрии предполагает существование третьего угла, про который уже шла
речь, и этот-то угол и осуществляет духовное слияние любовников, становится как бы формой их брака. Этот же геометри-
ческий образ переходит в последующие строфы, логически заканчивая среднюю часть стихотворения в форме следующих сентенций:

> ... Разлука
> есть сумма наших трех углов,
> а вызванная ею мука
>
> есть форма тяготенья их
> друг к другу; и она намного
> сильней подобных форм других.
> Уж точно, что сильней земного.

Третья, заключительная, часть стихотворения начинается
с реакции поэта на вторую часть. Он вдруг спохватывается и
осознает, что с точки зрения любимой его пространные геомет-
рические рассуждения, совсем не похожие на послания в разлуке, могут быть приняты за оригинальную позу, интеллектуаль-

ное кокетничание, схоластику. Однако он решает не спорить:
да, схоластика, схоластика, под которой он скрывает свою тоску и горечь. Это вообще характерный прием поэзии Бродского
не говорить впрямую о сильных чувствах, а дать опосредство-
ванное их описание, отчего они в конечном счете становятся
еще ясней. Вместо того, чтобы рвать страсти на части, Бродский предпочитает позицию отстранения, используя для этого
различные приемы камуфляжа, как, например, рассуждение об одном в терминах другого, иронию, игру на тоне повествования.
В связи с этим показательно признание поэта в стихотворении
"Прощайте, мадмуазель Вероника":

           Ты, несомненно, простишь мне этот
           гаерский тон. Это -- лучший метод
           сильные чувства спасти от массы
           слабых. Греческий принцип маски
           снова в ходу.[98]

    Такой греческой маской, "игрой в прятки с горем" в дан-
ном стихотворении и является схоластика. С другой стороны,
размышляя   над суммой человеческих знаний вообще, Бродский
приходит к выводу об их во многом неточном и даже фантасти-
ческом характере, восклицая: "А что не есть -- схоластика на
этом свете?" Однако релятивность человеческих знаний не пугает поэта, более того, он заявляет, что искусство любви и
жизни в том и состоит, "чтоб видеть, чего нет в природе", --
парадокс, который при внимательном рассмотрении оказывается
правдой человеческой духовности. Поэт предлагает любимой в
пустом месте стратосферы узреть некую точку, всевидящее око,

звезду, нисколько не считая такое действие насилием над человеческим разумом, создавшим силой своего воображения невероятнейшие фигуры, -- от сказочных и мифических героев до многочисленных богов, наделенных властью в соответствии с принципом распределения труда. На фоне этого предлагаемое поэтом действие представляется наименее сложным:

> Но в том и состоит искусство
>
> любви, вернее, жизни -- в том,
> чтоб видеть, чего нет в природе,
> и в месте прозревать пустом
> сокровища, чудовищ -- вроде
>
> крылатых женогрудых львов,
> божков невероятной мощи,
> вещающих судьбу орлов.
> Подумай же, насколько проще
>
> творения подобных тел,
> плетения их оболочки
> и прочих кропотливых дел
> вселение в пространство точки!

В стихотворении две концовки -- одна философская, заканчивающая метафизический уровень стихотворения: "Не в том суть жизни, что в ней есть, /но в вере в то, что в ней должно быть.", вторая -- личная -- поэт сбрасывает маску схоластики, говоря о причинах и чувствах, побудивших его именно на такой разговор с любимой: "униженный разлукой мозг /возвыситься невольно хочет."

Подводя итог геометрической образности в стихотворении, следует отметить ее соответствие архитектуре трех его частей, построенных в виде треугольника, где средняя часть, состоящая из 35 строф, является его основанием, а первая и третья части (по 13 строф каждая) -- его сторонами, мысленно продолжая которые можно образовать угол, -- тот самый, который и явился объектом стихотворения.

Весьма важную роль в стихотворении играет взаимодействие традиционного словаря любовной лирики и специфического словаря к ней не относящегося. Для наглядной демонстрации такой корреляции темы и ремы, данного и нового, приведем следующую таблицу словаря стихотворения:

ТРАДИЦИОННЫЙ СЛОВАРЬ	НОВЫЙ СЛОВАРЬ
когда ты вспомнишь обо мне	эта фраза всего лишь вымысел
в краю чужом	не может быть и речи
пророчество	лесой не вытащишь
слеза	в форме эпилога
омут	толпа нулей
за тридевять земель	Шахразада
вспомнишь и вздохнешь	Эвклид
гордыня	двадцать восемь возможностей
слепота	перпендикуляр
мне странно	точка
порознь нам суждено	прямая
рев метели	вершина
разлука	треугольник
жаждать встречи	фигура
до ломоты в висках	граница
рассудок	символ

злоба	пропорция
ревность	карта
Творец	чертеж
стражи заоблачные	разбить на градусы
свиданья лишена	зависимость
верна	длина черты
взгляд	нам известно
хаос	центр
ночь	сумма
зеркало, куда глядят не смеющие друг на друга взглянуть	стратосфера
незриму, нему	катет
навсегда	прожектор
место нашей встречи	мишень
грот	пересекаться
беседка	доказывать обратную теорему
приют	угол
за годы	нам дано
до смерти	материя
мрак	точка
всевидящее око	Эвклид
гороскоп	сумма двух углов
мука	земное тяготение
горе	схоластика
море	высокий штиль
звезда	мозоль, натертая в пространстве светом

Бог ведает	причина и следствие
кончина	квадраты
ладонь	Скагеррак
сокровища	планеты
темнота	длинноты
орел	кочет
униженный	возвыситься

Написать стихотворение о разлуке, используя первую колонку, может любой третьестепенный поэт, написать о том же, используя словарь второй колонки, -- затруднительно и первостепенному, для соединения этих двух словарей в единое гармоническое целое нужен Бродский.

5.   Сентентичность поэтического выражения

Одним из признаков настоящей поэзии принято считать многоплановость художественного текста, наличие в нем нескольких тематических уровней.   Это и верно и не верно.   Скорей следует говорить о гармонии тематического разброса, о взаимоотношении и взаимодействии разных тематических уровней, т.е. о сложности поэзии, которая тем не менее поддается познаванию и выигрывает в результате оного.   Многоплановость как таковая, многотемие (иногда не столько от "тема", сколько от "темь"), многоголосие, одетое в на сегодняшний день модное греческое платье и выступающее под именем полифонии, еще не есть залог художественности.   Сложность и простота не сводятся к оппозиции "хорошо-плохо" (или наоборот) и не вытекают из нее.   Важнее всего оказывается наличие не сложностиности, а, выражаясь метафорически, перспективы или даже стереоскопичности текста, которая не усложняет, а, скорей, упрощает видение мира, позволяя поэту и читателю сосредоточиться на главном, минуя второстепенное и необязательное. Ибо в конечном счете, когда дело идет о настоящей правде искусства в самом серьезном ее понимании, поэт не заботится уже ни о том, как удивить или подействовать, или откликнуться, или поразить, или, наконец, отразить и отобразить, а о том, как выразить.   Это "как выразить", будучи коренной задачей поэта, и есть ниточка, ведущая его через заросли слов к "как выражено".

Принцип выражения сути, приходящий на смену принципу отображения окружающей (и внутренней) действительности (страдательности) и обычно заявляющий о себе в более позднем поэтическом возрасте, рано явился Бродскому. И когда другие поэты в двадцать лет находились лишь на лирических подступах к анализу (в лучшем случае), Бродский уже был вовлечен в глубины синтеза. Эта синтетичность его поэтического мышления привела к сентентичности его поэтического выражения. Ни у одного из русских поэтов, за исключением разве Грибоедова, сентенция как принцип мышления не была столь ярким признаком поэзии и истины одновременно.

Сентенция -- сгусток поэтической мысли, суть, годная для всех вне рамок личного и национального, -- вещь в поэзии редкая. Марина Цветаева писала, что у нее есть точное средство определить настоящего поэта: в его стихах имеются "данные строчки", от Бога. Такими "данными строчками" мне кажутся сентенции Бродского, будь то афоризмы, иронические суждения, умозаключения, парадоксы и так далее, ибо они и являются выражением той глубинной сути, которую способен достичь человеческий ум в борьбе с загадками жизни и мироздания. Именно этот уровень глубинного поэтического мышления выдвигает Бродского в первый ряд мировой поэзии, а не сравнения или метафоры, для создания которых нужна скорей не глубина ума, а его изобретательность (пушкинский шуточный лозунг: "Поэзия должна быть глуповата" для Бродского явно неприемлем).

Знаменательно, что сентенция у Бродского гармонически вытекает из данного контекста, но ее появление для читателя всегда -- неожиданность, ибо сентенция непредсказуема. Одновременность гармоничности появления сентенции и ее непредсказуемость и делает ее высшей точкой данной строфы, пиком, всегда, однако, осознающим наличие под собой опоры, горы, и без нее не существующим. "Проблему одиночества вполне /решить за счет раздвоенности можно" говорит не просто поэт, а Горбунов -- пациент сумасшедшего дома, попавший туда из-за несчастной любви. Парадокс "звук -- форма продолженья тишины" уместно вписан в контекст об однокашнике-трубаче. Серия чрезвычайно сложных по построению иронических сентенций-каламбуров тесно связана с темой стихотворения "Остановка в пустыне"[99] о снесении Греческой церкви в Ленинграде и сооружении на ее месте концертного зала:

> Жаль только, что теперь издалека
> мы будем видеть не нормальный купол,
> а безобразно плоскую черту.
> Но что до безобразия пропорций,
> то человек зависит не от них,
> а чаще от пропорций безобразья.

И далее:

> Так мало нынче в Ленинграде греков,
> да и вообще -- вне Греции -- их мало.
> По крайней мере, мало для того,
> чтоб сохранить сооруженья веры.

> А верить в то, что мы сооружаем
> от них никто не требует. Одно,
> должно быть, дело нацию крестить,
> а крест нести -- уже совсем другое.

Сентенция, однако,тем и сентенция, что может существовать одна, без контекста, -- это драгоценный камень, блистающий из кольца, где кольцо -- дело искусных рук человека, а камень -- природное, изначальное, хоть и отшлифованное, но попавшее в руки, данное. Блеск его может восприниматься и отдельно, когда самого кольца не видно. И тем блестящей и сверкающей сентенция, чем она общей в смысле своей правды, чем больше она "для всех":

> Ведь если можно с кем-то жизнь делить,
> то кто же с нами нашу смерть разделит?
> ("Большая элегия")[100]

> Все будем одинаковы в гробу.
> Так будем хоть при жизни разнолики!
> ("Anno Domini")[101]

> расставанье заметней, /чем слияние душ.
> ("Строфы")[102]

> ...   от всякой великой веры
> остаются, как правило, только мощи.
> ("Прощайте, мадмуазель Вероника")[103]

> Остановись, мгновенье! ты не столь
> прекрасно, сколько ты неповторимо.
> ("Зимним вечером в Ялте")[104]

Последняя сентенция -- оригинальный пример полемики с чужой (в данном случае гетевской) фразой -- прием, о котором подробно речь пойдет в следующей главе.

Из ранних вещей особенно много сентенций в "Горбунове и Горчакове",[105] привожу лишь некоторые из них:

"А что ты понимаешь под любовью?"
"Разлуку с одиночеством."

Грех -- то, что наказуемо при жизни.

Находчивость -- источник суеты.

Я думаю, душа за время жизни
приобретает смертные черты.

Жизнь -- только разговор перед лицом /молчанья.

Любовь есть предисловие к разлуке.

Но море слишком чуждая среда,
чтоб верить в чьи-то странствия по водам.

Для зрелого периода сборников "Конец прекрасной эпохи" и "Часть речи" сентентичность становится постоянной художественной чертой поэтического выражения Бродского. Выписываю выборочно:

Потерять независимость много хуже, /чем потерять невинность.
("Речь о пролитом молоке")[106]

Задние мысли сильней передних.
Любая душа переплюнет ледник.
("Речь о пролитом молоке")[107]

... тело, помещенное в пространство,
пространством вытесняется.
("Открытка из города К")[108]

Смерть -- это то, что бывает с другими.
("Памяти Т.Б.")[109]

... Доказанная правда /есть, собственно, не правда, а всего /лишь сумма доказательств.
("Посвящается Ялте")[110]

Но даже мысль о -- как его! -- бессмертьи
есть мысль об одиночестве, мой друг.
("Разговор с Небожителем")[111]

Вещь есть пространство, вне
коего вещи нет.
("Натюрморт")[112]

> Любовь сильней разлуки, но разлука
> длинней любви. ("Двадцать сонетов...")[113]

> Ежели вам глаза скормить суждено воронам
> лучше если убийца убийца, а не астроном.
> ("К Евгению")[114]

Когда я сказал, что сентенция может восприниматься и без контекста, я выразился неточно. Я забыл о разнице между философской сентенцией (афоризмом) и сентенцией поэтической. Ведь последняя в отличие от первой может быть употреблена отдельно лишь после усвоения поэтического текста, ради которого мы и открыли сборник поэта, то есть ради поэзии, а не философии. То, что поэт нам дал больше ожидаемого, не превращает нас из любителей поэзии в любителей философии, другими словами, сборник сентенций не заменит сборника стихов. Выше я говорил об уместности сентенций в контексте, о гармоничности их появления. Я сосредоточился на сентенциях собственно для того, чтобы выделить их как особый прием поэта. Однако в реальности корреляция поэтического контекста с поэтической сентенцией и производит впечатление, усиливая ее действие, давая ей жизнь, ибо поэтическая сентенция есть или вывод из предыдущего контекста, или ввод в последующий. В поэзии, видимо, блеск камня во многом зависит от материала кольца.

Термин "сентенция" я взял как самый общий для обозначения глубинного высказывания. Тем не менее сентенцию у Бродского можно легко разбить на основные типы: умозаключение, афоризм, ироническое высказывание, парадокс.

Умозаключение, пожалуй, самый распространенный тип сентенции у поэта. Зачастую оно вводит последующий философский
контекст, призванный или обосновать, или распространить его,
или дополнить.

> В атомный век людей волнуют больше
> не вещи, а строение вещей.
> И как ребенок, распатронив куклу,
> рыдает, обнаружив в ней труху,
> так подоплеку тех или иных
> событий мы обычно принимаем
> за самые событья.
> ("Посвящается Ялте")[115]

В следующем случае умозаключение вводит дополняющий
контекст-иллюстрацию:

> Смерть -- это то, что бывает с другими.
> Даже у каждой пускай богини
> есть фавориты в разряде смертных,
> точно известно, что вовсе нет их
> у Персефоны; а рябь извилин
> тем доверяет, чей брак стабилен.
> ("Памяти Т.Б.")[116]

Умозаключение может быть и заключительной частью рассуждения, блестящим выводом из него:

> Не стану ждать
> твоих ответов, Ангел, поелику
> столь плохо представляемому лику,
> как твой, под стать,
> должно быть лишь
> молчанье -- столь просторное, что эха
> в нем не сподобятся ни всплески смеха,
> ни вопль: "Услышь!"

> Вот это мне
> и блазнит слух, привыкший к разнобою,
> и облегчает разговор с тобою
> наедине.
> В Ковчег птенец
> не возвратившись, доказует то, что

> вся вера есть не более, чем почта
> в один конец.
>   ("Разговор с Небожителем")[117]

На ироническом высказывании мне бы хотелось остановиться особо. Ирония для русской поэзии в общем нетипична. Это идет от четкого разделения у большинства поэтов разных стилей речи, с одной стороны, и от свойственного русской поэзии высокого лирического, общественного и патриотического накала, с другой. Ориентация на разговор с читателем "на полном серьезе", на однобоко понимаемую бескомпромиссность в выражении высокого, основанной на боязни того, что это высокое разрушится любой инородной нотой -- вот причина неироничности большинства русских поэтов. Сюда же можно отнести и понимание поэта как наставника, учителя жизни, то есть человека, долженствующего стоять выше, быть лучше. Ирония же идет от понимания и в определенном смысле принятия, прощения -- не "так не должно быть", а "к сожалению, так есть, и, по-видимому, всегда будет". Ирония -- это реакция снисхождения, а не презрения, что тем не менее иными воспринимается с большей обидой, чем второе. Способность к иронии всегда предполагает и способность к самоиронии, т.е. пониманию относительности своей исключительности или узкого ее характера. Неистовость чувств почти всегда исключает иронию, отсюда ее почти полное отсутствие у русских лириков. В поэзии же Западной Европы особенно у англичан, французов, а из славянских поэтов поляков, ирония занимает существенное место среди других приемов

поэтического выражения. В русской поэзии по-настоящему иро-
ничен только Пушкин, и не ирония ли определяет неувядаемый
успех его "энциклопедии русской жизни"? "Да я лирик, но я
и ироник" должен был скзать о себе не Северянин, начисто лишенный иронии, а Бродский, если бы в его манере был уместен
подобный тип поэтических самодеклараций. Если принять на веру, что Пушкин открыл все пути в русской поэзии (включая иронию)-- придется признать, что этим путем до Бродского никто
не шел. Да и пушкинская ли у него ирония? Скорей всего нет.
Здесь все дело, пожалуй, в тоне. У Пушкина печаль светла, а
ирония шутлива. В шутливом тоне пушкинской иронии отсутствует кривая улыбка, уязвленное мирозданием самолюбие, горечь
открытой истины (Бродский все-таки Горчаков). Отсюда пушкинская легкость перехода от иронии к самоиронии, легкость причисления себя к "нам":

> Так люди (первый каюсь я)
> От делать нечего друзья.

XIV

> Но дружбы нет и той меж нами.
> Все предрассудки истребя,
> Мы почитаем всех нулями,
> А единицами себя.
> Мы все глядим в Наполеоны;
> Двуногих тварей миллионы
> Для нас орудие одно;
> Нам чувство дико и смешно.
>   ("Евгений Онегин")[118]

Ирония Пушкина к тому же вовсе не метафизического порядка, как у Бродского, и единица ее скорей строфа, чем сентенция.

Ирония Бродского скорей сродни иронии поэтов двадцатого века -- Брехта, Одена, Милоша -- и происходит не от влияний, а от себя и от века. Иронизм вообще, вероятно, следует рассматривать как новое поэтическое направление, пришедшее на смену модернизму. В русской поэзии это новое представляет Бродский. Интересно отметить, что ирония мало характерна для его ранних вещей и ощутимо появляется где-то к середине шестидесятых годов в таких стихотворениях как "Одной поэтессе" и особенно в "Горбунове и Горчакове".

6. Ля лянг матернель

Характерной чертой поэзии Бродского является недискриминативность его поэтического словаря. Он крайне редко пользуется словами, закрепившими за собой ту или иную поэтическую ауру, причисляя их к литературным клише, неизбежно тянущим за собой нежелательные стереотипные коннотации, а если
и пользуется таковыми, то вполне сознательно и с определенной стилистической целью. В основном же его главное требо-
вание к слову -- точность, экспрессивность и полная адекват-
ность выражаемым мыслям и чувствам, поэтичность как таковая
создается не посредством заранее отобранного поэтического словаря, а любыми единицами лексики -- от архаики до мата. Последнее было весьма нехарактерно для русской поэзии конца
19 века и символистов, поэты же 18 века и начала 19 века не
считали использование мата таким уж зазорным делом. В народной же стиховой культуре мат как один из экспрессивней-
ших слоев речи использовался постоянно во все века. Не счи-
тался он табу и для французской, немецкой и английской поэзии разных периодов. В современной американской поэзии мат
(название органов и физиологических отправлений материально-
телесного низа -- four-letter words) является одним из способов выражения эмоционального в соответствующих контекстах.

Мат, как известно, такая же равноправная составная

часть словаря, как и все другие, и вовсе не оригинальное явление русского языка, а самый живучий слой любого. Мат обладает колоссальными выразительными способностями, и зря думают пуристы, что его можно с успехом заменить другими словами. Определение мата как слов, которые нельзя произносить
в дамском обществе, на сегодняшний день явно устарело, а потом -- зачем их просто произносить? Уместность мата как и
любого другого стиля речи и есть тот критерий, которым руко-
водствуется человек. Уместность эта особенно важна для поэтического выражения. Мат в стихах ради самого мата -- явление редкое и, главное, неинтересное. Чаще же всего мат в
стихах используется с эмфатической целью, чтобы подчеркнуть,
усилить эффект высказываемого. Пушкин в знаменитой эпиграмме на Дондукова: "В Академии наук /Заседает князь Дундук.
/Говорят, не подобает /Дундуку такая честь; /Почему ж он за-
седает? /Потому что жопа есть.",[119] прекрасно сознавал, что
он делает, и никакими "ягодицами", "седалищами", "задами"
или иными эвфемистическими оборотами это слово не заменить
и не столько из-за размера (возможное: так как зад у него
есть, или реальный "смягченный вариант" изданий 50-х годов:
"Потому что есть чем сесть"), как из-за полной потери выра-
зительности.[120]

   Экспрессивностью мата не пренебрегали ни Пушкин, ни
Лермонтов, и сфера его применения не ограничивалась легкими
жанрами эпиграммы или шуточного стиха (см. у Лермонтова его
юнкерский цикл), но распространялась и на серьезные сферы

(примером может служить приведенное ранее стихотворение Пушкина "Телега жизни"). Экспрессивность слова (матерного, нет ли) может усиливаться и определенным сдвигом в самом его значении. Это значение может быть шире или уже соответствующего принятого термина. В поэме "Во весь голос" есть такие строчки (привожу, игнорируя лесенку): "Неважная честь, чтоб из этаких роз/Мои изваяния высились /По скверам, где харкает туберкулез, /Где блядь с хулиганом да сифилис."[121] В большинстве советских изданий "блядь" заменено или словом "дрянь", или точками. С точки зрения смысла "дрянь" здесь совершенно неуместно, но даже наиболее близкое по смыслу цензурно-допустимое "проститутка" вовсе не равно слову "блядь" семантически. Проститутка -- это профессия, продажа себя за деньги, обезличка; блядь -- это скорее занятие из любви к искусству, настроение ума, характер. "Блядь" также далеко от "проститутки", как "хулиган" от "наемного бандита". Поэтому в поэме Маяковского слова "блядь" и "хулиган" равновелики, уместны и, главное, правдиво отражают действительность жизни. Подобным же образом это слово уместно и у Бродского в пятом сонете к Марии Стюарт, тем более, что оно передает не авторскую, а чужую узколобую точку зрения:

> Число твоих любовников, Мари,
> превысило собою цифру три,
> четыре, десять, двадцать, двадцать пять.
> Нет для короны большего урона,
> чем с кем-нибудь случайно переспать.
> (Вот почему обречена корона;
> республика же может устоять,
> как некая античная колонна).

И с этой точки зренья ни на пядь
не сдвинете шотландского барона.
Твоим шотландцам было не понять,
чем койка отличается от трона.
В своем столетьи белая ворона,
для современников была ты блядь.
("Двадцать сонетов к Марии Стюарт")[122]

Главное, однако, в том, что мат у Бродского не используется специально, в пику или для эпатажа, а рассматривается в качестве одной из сторон реального живого языка, которым действительно пользуются его современники. У Бродского
начисто отсутствует нацеленность на какой-либо определенный
стиль речи, не интересуется он и поэтическим словотворчест-
вом à la футуристы; главное -- ясность выражения мысли, а
нужные для этого слова поэт может брать готовыми из языка,
лишь бы они отвечали условию логической и экспрессивной точности. Поэтому не верны в принципе были бы выводы об ориентации Бродского на разговорную, научную, прозаическую, слен-
говую или любую другую речь, ибо таких ориентаций нет, а есть
лишь сознательный отказ от речестилевых ориентаций. Принад-
лежность слова к тому или иному стилю как таковому перестает
входить у Бродского в критерий словесного отбора, поэтому и
составление списков архаизмов, поэтизмов, прозаизмов, кол-
локвиализмов, жаргонизмов и матюков мало что откроет нам в
его стиле. Единицей поэтики Бродского становится не само
слово с той или иной стилистической аурой, а его неповтори-
мая семантическая валентность на уровне данного контекста.
Не о новаторстве поэтического словаря следует говорить в слу-

чае Бродского, а о новаторстве сочетаемости серьезного (метафизического) контекста с тем, что принято именовать непоэтическим низким слоем лексики. В принципе смешение стилей
в русской поэзии, особенно ярко проявившееся впервые у Державина, почти всегда осозновалось как отклонение от идеаль-
ного эталона классической поэтики, пришедшей к нам в строгих
одеждах учения Ломоносова "о трех штилях". По существу же
речь шла не столько о жанрах, сколько об оппозициях "серьезное -- игро́вое" и "высокое -- низкое", которые осознава-
лись всеми поэтами независимо от того, как они решали эту
дилемму. Державин, позволивший себе писать "забавным русским слогом" прекрасно осознавал на что он идет. В дальнейшем, подобно маятнику, качание между "высоким" и "низким"
стало закономерным для русских литературных направлений: романтизм -- высокое, реализм -- низкое, символизм -- высокое,
модернизм -- низкое. Это, конечно, очень общая картина ориентаций, и на уровне творчества каждого данного поэта она
может существенно отклоняться от идеальной схемы. Модернизм,
включающий здесь футуризм, акмеизм, имажинизм и другие школы начала века -- понятие фасеточное. При общей тенденции
к "низкому" в лексике крайний левый фланг представлен футуристами, а крайний правый -- акмеистами. У конкретных поэтов последнего эта ориентация выражена не такими яркими красками: у Ахматовой, например, помимо общей тенденции на раз-
говорность, это -- вкрапление в повествование о любви обы-

денной детали окружающего вещного мира:

> Иду по тропинке в поле
> Вдоль серых сложенных бревен.
> Здесь легкий ветер на воле
> По весеннему свеж, неровен.
>   ("Безвольно пощады просят...")[123]

> На кустах зацветает крыжовник,
> И везут кирпичи за оградой.
> Кто ты: брат мой или любовник,
> Я не помню и помнить не надо.
>   ("Как соломинкой, пьешь мою душу...")[124]

Тем не менее жанр "философской лирики" до Бродского не имел прецедентов вкрапления сниженного словаря, во всяком случае, у его лучших представителей.

Совсем по-иному дело обстояло у зарубежных поэтов, особенно английских метафизиков, которые в большинстве случаев игнорировали противопоставление высокой и низкой лексики в поэзии. Они же допускали смешение философских и сексуальных тем -- вещь неслыханная в русской литературе и ныне ощущаемая как новаторство Бродского. Не в новинку для английских поэтов и прозаизация поэзии, на русской почве связанная с именем Пушкина, осмелившегося говорить в стихах "презренной прозой". Недискриминативность лексики, характерная для многих советских поэтов от Маяковского до Вознесенского, только у Бродского использована для выражения метафизических тем и поэтому явно ощущается читателями и поэтами старшего поколения как отклонение от нормы, порча. Коллоквиализмы и вульгаризмы, употребленные без какой-либо специальной нужды, просто так, шли вразрез с их поэтическим чувством; все эти "дураки под кожею", "прахоря", "грабли", "херово", "дала", "заделать свинью", "буркалы" и тому подобная "недоремифасоль" простилась бы автору в любом другом контексте, кроме философского, здесь же она резала ухо. Несомненно и то, что советской цензурой подобная недискриминативность поэтической лексики рассматривалась бы как литературное хулиганство.

В штыки была бы встречена и недискриминативность тематики -- введение Бродским сексуальных аллюзий в серьезный контекст, хотя в беспримесных эротических вещах, в б$\frac{у}{ля}$дуарной лирике Северянина и даже в произведениях à la Барков она бы была вполне простительна (конечно в случае функционирования цензоров в качестве читателей во внерабочее время).

Смешение поэтического словаря, энергично начатое футуристами в пику символистам, после Маяковского получило широкое распространение в русской поэзии, так что даже матерные выражения у Бродского не так уж необычны для читателя и уж никак не стоят вне русской поэтической традиции. Действительно новым для этой традиции явились не "грубые слова" собственно, а область сексуальных и физиологических отправлений, задействованная а метафизическом контексте -- практика, идущая у Бродского от Донна и от современной западно-европейской и американской поэзии.

Важно именно смешение (воспринимаемое многими русскими писателями как коллизия) сексуальной и философской стихии, а не наличие "сексуальной образности" как таковой. Р$\frac{а}{и}$скован-

ные разговоры с читателем на "эту тему" велись и Державиным,
и Барковым, и Пушкиным, и Лермонтовым, а в двадцатом веке и
Брюсовым, и Маяковским, и Есениным, и Пастернаком, и Цветаевой. Книга под названием "Русская эротическая поэзия", если бы ее пожелал кто-нибудь составить, получилась бы не столь
тонкая. Но "эротику" читатель автору прощал, ибо мог понять
"причину" ее появления -- будь то русская разухабистость, гусарство, сексуальная озабоченность, половая горячка, слепая
страсть, "половодье чувств", голый натурализм или просто эпатаж буржуа. К сочетанию же философского и сексуального русский читатель не был подготовлен и не мог понять сам смысл
такого сочетания, ибо автор ведь писал в общем не "об этом".
Почему в контексте о театре нужно сказать о балерине "красавица, с которою не ляжешь"? Почему стихотворение "На смерть
друга" нужно было испортить "сиповками" и "корольками"? Русской традиции, которая в общем все-таки нацелена на возвышенное (антиэстетические эпатажи лишь подтверждают правило), действительно до сих пор были чужды сексуальные намеки en passant
в несексуальном контексте, такого рода как: "В кронах /клубятся птицы с яйцами и без", "В густой листве налившиеся груши, /как мужеские признаки висят", о мулатке: "Где надо гладко, где надо -- шерсть", о лирическом герое: "и уже седина
стыдно молвить где" и т.п..

Мотивы, по которым Бродский вводит в свои стихи
матер~~иаль~~но-телесную сферу многообразны. Это и реабилитация

секса как одной из важнейших сторон человеческого существования, высвобождение его из области "стыдного"; это и сле-
дование примеру Донна с его поэтикой сексуального остроумия,
и, наконец, решение отображать правду жизни, ничего не при-
украшивая и ничего не скрывая, правду во всем, в том числе
и в сексуальном самосознании человека, которое поэзия зачастую стыдливо прятала под крыло идеализации не без давления
фальшивого пуританства.

Несомненно, однако, что решение об использовании "сексуальной образности" было принято Бродским сознательно, и само
нарушение традиции выходило за рамки сугубо языковой щепетиль-
ности. В нарушении этом было и осознанное бросание перчатки
самой действительности -- эпохе, "принявшей образ дурного сна".
Поэт, как полномочный представитель этой эпохи не пытается делать своего лирического героя ниже или выше, только лишь муд-
рее, он -- плоть от плоти ее в такой же мере как Маяковский --
"ассенизатор и водовоз" революции, а Мандельштам -- "человек
эпохи Москвошвея". Язык эпохи и ее среда лепит поэтов, даже
если сами они хотели бы быть другими:

> Жить в эпоху свершений, имея возвышенный нрав,
> к сожалению, трудно. Красавице платье задрав,
> видишь то, что искал, а не новые дивные дивы.
> И не то что бы здесь Лобачевского твердо блюдут,
> но раздвинутый мир должен где-то сужаться, и тут --
> тут конец перспективы.
>   ("Конец прекрасной эпохи")[125]

В заключение отметим, что "сексуальная ремарка en passant"

несомненно является одной из многочисленных характерных новаторских примет поэтики Бродского. К сожалению, из-за своей нетрадиционности она первой бросается в глаза читателям и иногда заслоняет от них многое остальное. Дело здесь скорей в традиционности эстетических ориентаций читателя, чем паталогическом сквернодумии поэта.

Знаменательно, что источником языка Бродский считает не только всю русскую речь со всеми ее стилями, но и идеосинкразическую речь русских поэтов, слова которых безошибочно воспринимаются как авторские, а не общеязыковые. Один из примеров такого употребления "чужого слова" находим в стихотворении "Классический балет...",[126] посвященном Михаилу Барышникову:

    В имперский мягкий плюш мы втискиваем зад,
    и, крылышкуя скорописью ляжек,
    красавица, с которою не ляжешь,
    одним прыжком выпархивает в сад.

Слово "крылышкуя" из хлебниковского стихотворения о кузнечике коррелирует в последующем контексте с другим его словом из хрестоматийного "Бобэоби пелись губы". Так поэзия Хлебникова косвенно упомянута как одна из примет времени, в котором классический балет достиг вершины:

    Классический балет! Искусство лучших дней!
    Когда шипел ваш грог и целовали в обе,
    и мчались лихачи, и пелось бобэоби,
    и ежели был враг, то он был -- маршал Ней.

В несколько видоизмененной форме "чужое слово" появляется в стихотворении "Темза в Челси" при перечислении деталей пейзажа, которые может узреть человек: "вереницу барж,

ансамбль водосточных флейт, автобус у Галереи Тэйт". "Водо-
сточные флейты" пришли из стихотворения Маяковского "А вы
могли бы?" с концовкой: "А вы ноктюрн сыграть могли бы /на
флейте водосточных труб?"[127] "Чужое слово" может проявлять-
ся и в виде похожего тропа. В стихотворении Гумилева "Заблу-
дившийся трамвай" лицо сравнивается с выменем:

> В красной рубашке, с лицом как вымя,
> Голову срезал палач и мне...[128]

подобное же сравнение находим у Бродского:

> И тут Наместник, чье лицо подобно
> гноящемуся вымени, смеется.[129]

В некоторых случаях находим у Бродского и использование "чужой фразы": "Здравствуй, младое и незнакомое /племя!"
(1972 год) -- слегка измененное в порядке слов начало последней строфы пушкинского "Вновь я посетил...",или реминисценции (чаще всего иронической):

> Мы тоже
> счастливой не составили четы.
> Она ушла куда-то в макинтоше.[130]

Последняя строка вызывает в памяти у читателя блоковское:

> Ты в синий плащ печально завернулась,
> В сырую ночь ты из дому ушла.[131]

Дистанция Блок -- Бродский здесь иронически подчеркну-
та заменой символистского "плаща" со всей накопленной экстра-
ординарной аурой как у символистов (Белый), так и других (Цветаева) прозаически-бытовым "макинтошем".

"Чужое слово" у Бродского не ограничивается рамками
русской поэзии, встречаются у него и аллюзии из западноевро-

123

пейских поэтов, как, например, из начала "Ада" Данте следующая скрытая цитата: "Земной свой путь пройдя до середины"
(Nel mezzo del cammin di nostra vita) или реминисценции из
Шекспира: "двуспинные чудовища" (beasts with two backs) из
"Отелло" и способность "отличить орла от цапли" (to know a
hawk from a handsaw) из "Гамлета". В некоторых случаях "чужое слово" перерастает в "чужой словарь" одного поэта или
даже целого течения, зачастую сопровождаясь и "игрой на чужом инструменте".

"Чужое слово" у Бродского выполняет разнообразные сти-
листические функции и не может быть сведено к какой-либо одной доминантной роли -- каждый раз о нем нужно вести речь
особо. В более сложных случаях "чужое слово" является частью "чужого контекста", к которому отсылает нас автор, и с
которым его собственный входит в смысловые взаимоотношения
различной сложности. Наглядный пример тому -- первая строка "1972 года": "Птица уже не влетает в форточку", которая
является аллюзией первой строфы стихотворения Тютчева:

> Как летней иногда порою
> Вдруг птичка в комнату влетит,
> И жизнь и свет внесет с собою,
> Все огласит и озарит.[132]

В свете приведенного тютчевского отрывка, фраза о птичке у Бродского воспринимается как объективизированный атри-
бут старения -- даже во внешнем (независящем от человека) плане уже не происходит никакого хоть бы маленького чуда, реакция на внешнее притуплена, свежесть переживания тютчевского
чувства "жизни и света" поэту уже недоступна. Следующая стро-

ка у Бродского: "Девица, как зверь, защищает кофточку" --
представляет старение уже на другом, но тоже объективизиро-
ванном уровне -- реакции другого на тебя, в частности, жен-
ская реакция на человека, потерявшего добрую часть былой
сексапильности.

7. Игра на чужом инструменте

Среди стихотворений Бродского имеются такие, которые точнее всего можно определить как написанные по мотивам того или иного стихотворения поэта-предшественника, так как их не назовешь ни подражаниями, ни перекличкой, ни полемикой. Иногда Бродского интересует воплощение данной темы в необычном оригинальном метре и ритме, и он как бы ставит себе задачу создать свое собственное полотно, пользуясь палитрой своего предшественника.

Занятие такого рода для поэта одновременно и ответственное и опасное, так как здесь очень легко подпасть под поступательное влияние чужого голоса и потерять себя как лирического героя своего времени и своего мировоззрения. Даже частичная потеря такого рода может свести стихотворение в русло подражательности. С Бродским этого никогда не происходит. Пользуясь чужими красками, он, тем не менее, всегда остается самим собой, то есть в стихотворении "по мотивам" герой тот же, что и в стихотворениях своей палитры. Естественно и то, что Бродский выбирает произведения таких поэтов, которые близки ему то ли по духу, то ли по данному настроению, то ли по складу поэтического таланта.

Одним из таких "опытов на тему" является стихотворение Бродского "Послание к стихам",[133] отправной точкой которого

послужило стихотворное письмо Кантемира "К стихам своим".[134]
Вполне вероятно, что Бродский вообще относится к Кантемиру
с достаточной долей симпатии как к поэту-классицисту, литературные взгляды которого ему довольно близки. В данном же
случае Бродскому показалась привлекательной как сама трактовка темы -- разговор со стихами, вернее, монолог, обращенный
к ним, так и необычный размер начала стихотворения, понравив-
шийся Бродскому, который он поставил эпиграфом к своему. Интересно, что размер "Письма" Кантемира в общем другой:

> Скучен вам, стихи мои, ящик, десять целых
> Где вы лет тоскуете в тени за ключами!
> Жадно воли просите, льстите себе сами,
> Что примет весело вас всяк, гостей веселых,
> И взлюбит, свою ища пользу и забаву,
> Что многу и вам и мне достанете славу.

Бродский заметил в первой строчке то, чего не заметил
и, вероятно, не мог заметить в силу своего силлабического
слуха Кантемир, то, что ясно и любому читателю стихов двадцатого века -- метрическую и ритмическую самостоятельность
строчки: "Скучен вам, стихи мои, ящик", не нуждающейся в последующем силлабическом довеске. Кроме всего этого, тема
стихов, хранящихся в ящике, тема писания в стол могла заин-
тересовать Бродского сходностью его судьбы с судьбой Кантемира, которому не было дозволено публиковать свои произведения, и который мог распространять их только в списках, --
один из первых прецедентов русского самиздата.

Начало обоих стихотворений тематически совпадает: стихи просятся на свободу, и поэт решает отпустить их. У Кан-

темира это звучит так:

> Жадно волю просите, и ваши докуки
> Нудят меня дозволять то, что вредно, знаю
> Нам будет; и, не хотя, вот уж дозволяю
> Свободу.

У Бродского же стихи выступают более активно -- они
не только тоскуют и просят воли, но и возражают в виде прямой речи от себя; несколько отличается и позиция автора --
то, что публиковать стихи "вредно" для поэта, остается у
Бродского в подтексте, как для советского читателя само собой разумеющееся; в тексте же подчеркивается мысль о грехов-
ности обуздывать свободу и не только в применении к стихам,
но и человеческой жизни в целом:

> Не хотите спать в столе. Прытко
> возражаете: "Быв здраву,
> корчиться в земле суть пытка".
> Отпускаю вас. А что ж? Праву
> на свободу возражать -- грех. ...

Далее пути поэтов расходятся: Кантемира занимают мысли об истинности его поэзии, о приеме его стихов читателями, об их отношении к той правде жизни, которую они выража-
ют, о пользе поэтического творчества вообще, о завистниках,
которые скажут, что он по-русски изложил то, что давно уж
было сказано лучше и красивее по-римски и по-французски и
т.д.; Бродский же сразу привносит личную ноту, мало харак-
терную для классицизма, при этом сразу входя в круг своих
любимых тем: расставание со стихами воспринимается как разлука, тема старения звучит в пожелании стихам счастья, которого поэту ждать уже поздно, тема смерти проявляется в раз-

мышлении поэта о разности судеб человека как материальной субстанции и стихов как духовной:

>   Вы же
> оставляете меня. Что ж! Дай вам
> Бог того, что мне ждать поздно.
> Счастья, мыслю я. Даром,
> что я сам вас сотворил. Розно
> с вами мы пойдем: вы -- к людям,
> я -- туда, где все будем.

В заключительных частях стихотворений снова становится заметной их тематическая близость -- оба поэта размышляют о том, что станет с их стихами в грядущем, однако трактовка темы у них диаметрально противоположная. Кантемир не верит, что его стихи смогут выйти победителями в схватке со временем, в конечном счете их ждет печальный удел: или пылиться вместе с третьестепенными виршами, или служить в качестве оберточной бумаги:

>   Когда уж иссаленным время ваше пройдет,
> Под пылью, мольям на корм кинуты, забыты
> Гнусно лежать станете, в один сверток свиты
> Иль с Бовою, иль с Ершом; и наконец дойдет
> (Буде пророчества дух служит мне хоть мало)
> Вам рок обвертеть собой иль икру, иль сало.

У Бродского же сквозь элегические размышления о собственной судьбе оптимистически звучит уверенность в бессмертии его поэтического дара -- тема горациевского памятника, решенная, однако, в ином метафорическом ключе: творец войдет в одну дверь, его же стихи -- в тысячу. Такое метафорическое решение и жизненнее и веселее горациевского* -- вмес-

---

*Полемика с горациевской темой явственно слышна в "Римских элегиях" Бродского, где для слова "памятник" поэт использует парафразу "каменная вещь": "Я не воздвиг уходящей к тучам /каменной вещи для их острастки."

то памятника, по ассоциации влекущего в сферу кладбищенской

тематики, у Бродского создается картина вечного живого обще-

ния стихов с многочисленными читателями:

> До свидания, стихи. В час добрый.
> Не боюсь за вас; есть средство
> вам перенести путь долгий:
> милые стихи, в вас сердце
> я свое вложил. Коль в Лету
> канет, то скорбеть мне перву.
> Но из двух оправ -- я эту
> смело предпочел сему перлу.
> Вы и краше и добрей. Вы тверже
> тела моего. Вы проще
> горьких моих дум, что тоже
> много вам придаст сил, мощи.
> Будут за все то вас, верю,
> более любить, чем ноне
> вашего творца. Все двери
> настежь будут вам всегда. Но не
> грустно эдак мне слыть нищу:
> я войду в одне. Вы -- в тыщу.

Другой вещью, написанной "по мотивам", является сти-

хотворение Бродского "На смерть Жукова",[135] сделанное на ма-

нер "Снигиря"[136] Державина.   В этом стихотворении поэт под-

ходит очень близко к имитации державинского паузированного

дактиля, близки стихотворения и по жанру: и то и другое --

эпитафия на смерть великого полководца своего времени: у

Державина -- Суворова, у Бродского -- Жукова. Однако отно-

шение к военным героям своего времени у поэтов разное, в

стихотворении Бродского отчетливо проявляются восприятия че-

ловека двадцатого века, его отношение к власти, к войне и

к оценке военных событий современниками -- отношения во мно-

гом чуждые Державину.

Действие одного и другого стихотворения начинается в

комнате поэта. Державин обращается к реальной птичке, к сво-

ему любимому снегирю, сидящему в клетке, высвистывающему
начальные такты военного марша.   Этот мотив наводит его на
грустные размышления о смерти полководца, он мысленно представляет его лежащим в гробу и для описания его мужества и
доблести использует парафразу "северны громы":

> Что ты заводишь песню военну
> Флейте подобно, милый Снигирь?
> С кем мы пойдем войной на гиену?
> Кто теперь вождь наш? Кто богатырь?
> Сильный где, храбрый, быстрый Суворов?
> Северны громы в гробе лежат.

У Бродского экспозиция несколько иная: вместо обращения к снегирю, которое выступает у Державина в роли зачина,
у него -- прямой ввод в тему -- картина похорон, представ-
ляющаяся его творческому воображению:

> Вижу колонны замерших внуков,
> гроб на лафете, лошади круп.
> Ветер сюда не доносит мне звуков
> русских военных плачущих труб.
> Вижу в регалии убранный труп:
> в смерть уезжает пламенный Жуков.

Эпитет "пламенный" очень напоминает державинскую ха-
рактеристику Суворова, который ездил "пылая".   Правда, этот
эпитет в следующей строфе державинского стихотворения вклю-
чен в иронический контекст -- Суворов предстает перед нами
не на коне, а на кляче, его крайняя неприхотливость и аске-
тизм вызывают улыбку, хотя эти же качества полководца обо-
рачиваются крайней требовательностью к солдатам и в конечном счете становятся одним из главных элементов знаменитой
суворовской "науки побеждать".   Эта же строфа начинает се-

рию вопросов о том, кто сможет заменить Суворова, т.е. вести себя так же   как он на поле брани:

> Кто перед ратью будет, пылая,
> Ездить на кляче, есть сухари;
> В стуже и в зное меч закаляя,
> Спать на соломе, бдеть до зари;
> Тысячи воинств, стен и затворов
> С горстью Россиян все побеждать?

У Бродского содержание второй строфы заметно рознится с державинским. Его первые две строки о Жукове, как умелом полководце, перекликаются с последними двумя строками приведенного отрывка о Суворове, общее у них -- умение полководцев достичь победы над многочисленным врагом негодными средствами. Однако, если про Суворова говорится, что он мог побеждать с горстью Россиян тысячи воинств, то замечание о негодных средствах у Жукова явно ироническое, содержащее намек на неподготовленность Советского Союза к войне с Германией и несовершенство советского оружия по сравнению с немецким -- обстоятельство, в котором следует винить, конечно, не полководца, а Сталина. Заканчивается строфа темой несправедливой власти, неумеющей воздать должное герою и отстранившей его от всех общественных дел:

> Воин, пред коим многие пали
> стены, хоть меч был вражьих тупей,
> блеском маневра о Ганнибале
> напоминавший средь волжских степей.
> Кончивший дни свои глухо, в опале,
> как Велизарий или Помпей.

Третья строфа стихотворения Бродского не находит параллелей у Державина. Здесь ставится совершенно новый воп-

рос об ответственности полководца за жизнь его солдат, вопрос обычно не волнующий ни маршалов, ни поэтов, которые о
них пишут:

> Сколько он пролил крови солдатской
> в землю чужую! Что ж, горевал?
> Вспомнил ли их, умирающий в штатской
> белой кровати? Полный провал.
> Что он ответит, встретившись в адской
> области с ними? "Я воевал".

Знаменательно, что полководец встретится со своими
солдатами в аду, так как все они нарушили заповедь "не убий",
а также и то, что маршал, как и другие полководцы всех времен и народов, не почувствует раскаяния в совершенных действиях и никогда не признает себя военным преступником. Его
оправданием всегда будет то, что он был подневольным человеком, и на все обвинения он даст один ответ: "Я воевал",
т.е. был солдатом и выполнял свой долг.

В следующей строфе стихотворения Бродского ирония усиливается. Война называется сталинским выражением "правое
дело", и далее намекается на страх Жукова, как и других советских маршалов, перед генералиссимусом, способным на лю-
бые меры -- вплоть до физического уничтожения неугодных или
неугодивших ему людей:

> К правому делу Жуков десницы
> больше уже не приложит в бою.
> Спи! У истории русской страницы
> хватит для тех, кто в пехотном строю
> смело входили в чужие столицы,
> но возвращались в страхе в свою.

Подобный выход в реальную историческую перспективу

начисто отсутствует у Державина, воспевающего Суворова как любого абстрактного героя с использованием традиционных метафор храбрости и мужества таких, как "львиное сердце" или "орлиные крылья". Державин заканчивает стихотворение тем, что просит снегиря перестать петь военную песню, так как теперь воевать нет смысла -- второго Суворова не будет:

> Нет теперь мужа в свете столь славна:
> Полно петь песню военну, Снигирь!
> Бранна музыка днесь не забавна,
> Слышен отвсюду томный вой лир;
> Львиного сердца, крыльев орлиных
> Нет уже с нами! Что воевать?

Бродский заканчивает стихотворение совсем по-другому. Он провозглашает Жукова спасителем родины, которому он посвящает свои стихи, хоть и не верит на этот раз в их бессмертие -- о них забудут так же, как и о военных сапогах маршала:

> Маршал! поглотит алчная Лета
> эти слова и твои прахоря.
> Все же, прими их -- жалкая лепта
> родину спасшему, вслух говоря.
> Бей, барабан, и военная флейта,
> громко свисти на манер снегиря.

3 отличие от Державина музыка не останавливается, а продолжается, и не снегирь поет, как военная флейта, а наоборот флейта свистит на манер снегиря -- фраза, одновременно содержащая и единственный намек на державинское стихотворение.

Стихотворения, в которых обнаруживается вариация на чужую тему, а чаще форму (причем вторая для Бродского всегда притягательнее первой), далеко не ограничивается русской

литературной традицией. Талант профессионала-переводчика и

основательное знание зарубежной поэзии позволили Бродскому

ощущать поэзию вообще   (а не только русскую) как родную ху-

дожественную стихию. В его юношеских стихах заметно влияние

испанской силлабики, отличающейся большей свободой варьирова-

ния ударных и безударных слогов, чем русско-барочная и поль-

ская, следы которых также ощутимы в некоторых стихах поэта.

Стимулом для ранней поэмы "Холмы", например, явилась стихот-

ворная техника (а отчасти и тематика) поэмы Антонио Мачадо

"Земля Авергонсалеса" ("La Tierra de Avergonzalez").

Интерес к испаноязычной версификации ощутим и в зре-

лом творчестве поэта, например, в "Мексиканском дивертисмен-

те", где обнаруживается использование разных стилевых черт

традиционной испанской поэтики, в частности, народной испан-

ской баллады -- романсе (romance), чрезвычайно популярной

как в средневековье (Хорхе Манрике), так и в современности

(Лорка, Хорхе Гильен). Традиционно из таких коротеньких бал-

лад составлялись целые циклы под названием романсеро, то есть

собрание романсес, например, у Лорки "Цыганское романсеро"

("Romancero Gitano"). В манере романсе из "Мексиканского

дивертисмента" Бродского написаны стихотворения "Мексикан-

ского романсеро". Уместность испанских черт в этой подбор-

ке диктуется желанием поэта передать не только свои впечат-

ления от Мексики, но и ментальность страны, которая наряду

с другими традиционными моделями культуры включает и своеобразные формы поэтического мышления и выражения.

Другим примером подобной экзотики в том же цикле является использование в одном из стихотворений, озаглавленном "1867", мотива популярного в Латинской Америке аргентинского танго "Эль чокло", известного русским скорее не по первоисточнику, а по одесской блатной песенке "На Дерибасовской открылася пивная":

> Мелькает белая жилетная подкладка.
> Мулатка тает от любви, как шоколадка,
> в мужском объятии посапывая сладко.
> Где надо -- гладко, где надо -- шерсть.[137]

Любопытно, что этот мотив еще до Бродского был использован в русской поэзии, а именно, в поэме Маяковского "Война и мир", правда, совсем в ином качестве -- в виде нотного примера.

Влияние польской силлабики в стихах Бродского менее очевидно, скорее у польских поэтов его привлекала тематика и ее обработка. Можно было бы говорить о специфическом видении поляками вещей как знаков материального мира, отражающих и воплощающих чувственный и психический мир человека, но прямых текстуальных свидетельств такой близости не обнаруживается. Известно, что Бродский еще в юности интересовался польской поэзией и переводил из Норвида и Галчинского. Влияние первого отчасти сказывается в "Римских элегиях" как на уровне чувственного отношения к миру, так и в области ритмики и размера, напоминающих норвидовскую "Памяти Бема траурную рапсодию":

> Czemu, Cieniu, odjeżdżasz, ręce złamawszy na pancerz,
> Przy pochodniach, co skrami grają około twych kolan? --
> Miecz wawrzynem zielony i gromnic płakaniem dziś polan,
> Rwie się sokol i koń twój podrywa stopę jak tancerz.

> Тень, зачем уезжаешь, руки скрестив на латах?
> Факел возле колена вспыхивает и дымится.
> Меч отражает лавры и плач свечей тускловатых,
> Сокол рвется и конь твой пляшет, как танцовщица...
> (Перевод Д. Самойлова)[138]

Более тесные контакты прослеживаются в творчестве Бродского с английской и американской поэзией. В "Новых стансах к Августе" очевидна тематическая параллель со стансами к Августе Байрона; "Песня невинности, она же -- опыта" перекликается с "Песнями невинности" и "Песнями опыта" Блейка, стихотворение "Стихи на смерть Т.С. Элиота" построены в манере оденовского "Памяти Йейтса" и повторяет его трехчастную структуру и отчасти метрику. Общее влияние Фроста и Элиота ощущается в ранних стихах поэта.

Вообще тема "Бродский и зарубежная поэзия" гораздо шире и глубже, чем это может показаться на первый взгляд, и включает в себя не только метрическую и тематическую перекличку, но и полемику, аллюзии, скрытые цитаты, иронические суждения, завуалированные насмешки и другие разнообразные виды взаимодействия с чужим текстом. Из-за своей сложности и открытости тема эта требует особого исследования, далеко выходящего за рамки преемственности и новаторства, взятые за основу в данной книге. Поэтому я позволю себе уклониться от попыток ее детального рассмотрения и остановлюсь лишь на одном стихотворении, интересном как пример литературной поле-

мики Бродского, выполненной в полушутливом "гаерском" тоне
игры с читателем.

Это забавное стихотворение посвящено теме Фауста и
озаглавлено "Два часа в резервуаре".[139] Забавно оно прежде
всего по исполнению -- поэт избрал довольно редкий способ
создания комического и иронического контекста -- макарони-
ческую речь, в данном случае -- вкрапление немецких слов, а
также имитацию немецкого ломаного произношения в русских фра-
зах.

Прием макаронической речи весьма характерен для области комического как в прозе, так и в поэзии; комический эффект возникает, по-видимому, благодаря строгости языковой
нормы, любое отклонение от которой, будь то искаженное про-
изношение или вкрапление иностранного слова, воспринимается
как забавный сюрприз. В русской прозе прием макаронизации
можно встретить от Фонвизина до Зощенко,* в поэзии он редок,
как постоянный прием характерен лишь для шуточных стихотворений Мятлева (Я к коловратностям привык! Вся жизнь по мне --
лантерн мажик!),[140] а также для его длинной комической поэмы "Сенсации и замечания госпожи Курдюковой за границею, дан
л'этранже":

---

*"Я не могу дормир в потемках" (Пушкин);
"Я большой аматер со стороны женской полноты" (Гоголь);
"Je suis un опустившийся человек" (Достоевский).

Вам понравится Европа.
Право, мешкать иль не фо́ па,
А то будете маляд,
Отправляйтесь-ка в Кронштадт.[141]

Чаще всего макароническая речь, смешная сама по себе, используется и для высмеивания ее носителей, будь то московская аристократия, говорящая на смеси "французского с нижегородским", незадачливый советский турист, не знающий, как открыть дверь в немецкой уборной и зовущий местных жителей на помощь (Зощенко)[*] или немецкий барон, претендующий на русский престол (Демьян Бедный).[**]

Не то у Бродского, который говорит макаронически от себя с совершенно иной целью, а именно -- иронически принизить и лишить романтического ореола саму тему Фауста, показать ее философскую несостоятельность и несерьезность. Причину такого негативного отношения Бродского к великой немецкой поэме следует искать в резком отличии позиции русского поэта в его взглядах на человека и смысл его жизни от фаустовского. При этом не следует забывать, что Бродский говорит здесь не о поэзии Гете как таковой, а лишь о теме Фауста, причем с изрядной долей комической иронии, то есть "не на полном серьезе". Тем не менее, позиция Бродского все же недвусмысленна -- в шуточной форме содержится серьезная критика как мистицизма как формы познания мира вообще, так и

---

[*]"Геноссе, говорю, геноссе, дер тюр, сволочь, никак не открывается." ("Западня")

[**]Вам мой фамилий всем известный: /Их бин фон Врангель, герр барон. /Я самый лючший, самый шестный /Есть кандидат на русский трон... ("Манифест барона фон-Врангеля")

отношения к миру и людям "сверхчеловека", готового пойти на все для достижения своих целей. Последнее особенно отталкивающе действует на Бродского, в философии которого нет места угнетению, использованию других или любой иной формы хождения по головам и пренебрежения к гуманистическому началу в человеке.

Идея Фауста-сверхчеловека, педанта и сенсуалиста, с его полной посюсторонностью, несмотря на громадный умственный багаж, претит Бродскому, видящему в Фаусте готовый эталон фашиста и приравнивающему фаустизм к фашизму по пренебрежительному отношению к другим: "Я есть антифашист и антифауст". Эта нота повторяется и далее в стихотворении, в том месте, где поэт высказывает мысль о том, что идея Фауста весьма характерна для немецкого человека вообще, склонного все решать посредством разума ("Я мыслю, следовательно я существую"), а потому считающего себя выше народов, живущих чувствами:

> Немецкий человек, немецкий ум.
> Тем более, когито эрго сум.
> Германия, конечно, юбер аллес.
> (В ушах звучит знакомый венский вальс.)

Слабостью сюжета о докторе Фаусте Бродский считатет и примат физиологического в жизни героя над духовным -- ведь в конечном счете Фауст продает душу дьяволу, чтобы овладеть Маргаритой, -- цель, с точки зрения Бродского, мелкая и вовсе не оправдывающая средства:

> *Их либе ясность. Я. Их либе точность.*
> *Их бин просить не видеть здесь порочность.*
> *Ви намекайт, что он любил цветочниц?*
> *Их понимайт, что дас ист ганце срочность.*

Ирония этого отрывка очевидна -- предпочесть физическое духовному такой ценой мелко для человека, тем более для
мыслителя, которому в овладении девицей конечно никакой "ган-
це срочности" не могло быть. Не мог быть и счастлив Фауст
такой искусственной любовью, ибо "душа и сердце найн гехапт
на вынос". Интересно, что Ницше, идеи которого весьма по-
влияли на "Доктора Фаустуса" Томаса Манна, высмеял именно
эту слабость поэмы в следующем насквозь ироничном отрывке:
"Маленькая швея соблазнена и несчастна; великий ученый во
всех четырех отраслях знания -- обманщик. Разве такое могло произойти без вмешательства сверхъестественной силы? Конечно же нет! Без помощи дьявола во плоти великий ученый
никогда бы не смог осуществить такое дело. Не это ли вели-
кая немецкая "трагическая идея", которую многие немцы видят
в "Фаусте"?"[142] Неправдоподобие этой сюжетной линии, по мнению Бродского, приводит к художественной неправде, превра-
щая искусство в искусственность:

> *Унд гроссер дихтер Гете дал описку,*
> *чем весь сюжет подверг а ганце риску.*
> *И Томас Манн сгубил свою подписку,*
> *а шер Гуно смутил свою артистку.*
> *Искусство есть искусство есть искусство...*
> *Но лучше петь в раю, чем врать в концерте.*
> *Ди Кунст гехабт потребность в правде чувства.*

Не верит Бродский и в гетевскую даже гипотетическую
возможность восклицания: "Остановись, мгновенье, ты прекрас-

но!" Жизнь -- это развитие, динамика, всякая статика -- смерть, в реальности же всякое счастливое мгновение содержит элемент и прошлого и будущего, а потому не может быть счастливым до конца.

Эта мысль пронизывает и пушкинскую "Сцену из Фауста", первая строчка которой "Мне скучно, бес" взята Бродским в качестве эпиграфа к "Двум часам в резервуаре". Пушкинскому Фаусту скучно, потому что он не нашел и не сможет найти непреходящего "чудного мгновенья". Добившись, благодаря дьяволу, возможности получать все "по щучьему веленью" Фауст не нашел счастья, ибо такое получение благ неинтересно, скучно и антигуманно. Пушкинский Мефистофель говорит за Фауста ту правду о его связи с Маргаритой, о которой он не хочет знать, которую хотел бы забыть, но не может:

Мефистофель

И знаешь ли, философ мой,
Что думал ты в такое время,
Когда не думает никто?
Сказать ли?

Фауст

Говори. Ну, что?

Мефистофель

Ты думал: агнец мой послушный!
Как жадно я тебя желал!
Как хитро в деве простодушной
Я грезы сердца возмущал!
Любви невольной, бескорыстной
Невинно предалась она...
Что ж грудь моя теперь полна
Тоской и скукой ненавистной?..

> На жертву прихоти моей
> Гляжу, упившись наслажденьем,
> С неодолимым отвращеньем:
> Так безрасчетный дуралей,
> Вотще решась на злое дело,
> Зарезав нищего в лесу,
> Бранит ободранное тело;
> Так на продажную красу,
> Насытясь ею торопливо,
> Разврат косится боязливо...
> Потом из этого всего
> Одно ты вывел заключенье...

> Фауст

> Сокройся, адское творенье!
> Беги от взора моего![143]

Бродского как и Пушкина не удовлетворяет идея Фауста еще и как жизненно-ложная, откровенно сказочно-романтическая, но поданная всерьез. Склонность к мистицизму в глазах Бродского отрицательное качество для поэта, по крайней мере поэта метафизика, так как не расширяет, а наоборот ограничивает возможность познания окружающего и внутреннего мира:

> Есть мистика. Есть вера. Есть Господь.
> Есть разница меж них. И есть единство.
> Одним вредит, других спасает плоть.
> Неверье -- слепота. А чаще -- свинство.

> Бог смотрит вниз. А люди смотрят вверх.
> Однако, интерес у всех различен.
> Бог органичен. Да. А человек?
> А человек, должно быть, ограничен.

> У человека есть свой потолок,
> держащийся вообще не слишком твердо.
> Но в сердце льстец отыщет уголок,
> и жизнь уже видна не дальше черта.

В последней части стихотворения Бродский иронизирует над непознаваемостью общей идеи Фауста, над туманом, который напустил Гете и в котором нам не поможет разобраться даже его друг и биограф Эккерман.

Позиция Бродского вполне понятна -- он как метафизик и классицист требует от поэзии ясности, в то время как для Гете-романтика такой подход вовсе не обязателен, а в случае Фауста и диаметрально противоположен: в беседе с Эккерманом о своей поэме сам Гете сказал, что "чем более запутанно и непонятно для читателя поэтическое произведение, тем лучше".[144] Романтизм с его ориентацией на мистику не может разрешить загадки человеческого существования -- является негодным средством для целей серьезного познания. Поэтому Бродскому идея Фауста неинтересна, чужда и лежит в области за искусством, каким он себе его представляет. Конечно, здесь идет речь об искусстве на уровне идей -- Бродский никогда не умалял поэтического мастерства Гете и не ограничивал его поэзию только лишь "Фаустом". Тем интереснее становятся для нас разногласия Бродского и Гете, базирующиеся не столько на обработке темы, сколько на разности их поэтического мировоззрения.

8. Мир и миф

Все красочное многообразие способов поэтического самовыражения, по-видимому, сводимо к трем основным источникам
поэтического творчества: "моя жизнь", "жизнь моего alter
ego" (он же "лирический герой", он же "персона") и "жизнь
мифологического героя"; или для краткости: жизнь, фантазия,
миф. Эти источники питают творчество любого поэта, их материал причудливо переплетается и скрепляется веществом не-
повторимого "Я" его личности и зачастую образует на первый
взгляд недискретную поэтическую ткань, тем не менее, во многих случаях поддающуюся расплетению на свои составляющие.
У иных же поэтов доминирует (или отсутствует) материал того или другого источника настолько ярко, что выводы о его
методе самовыражения не вызывают споров. В большинстве случаев основой поэтического творчества является частная жизнь
поэта, его непосредственный личный опыт данный или в чистом
виде "от себя", или опосредствовано "от лирического героя",
или через "миф".

Стихотворения "от себя" базируются на непосредствен-
ном временно́м и чувственном опыте и имеют отправным момен-
том конкретный биографический факт. Например, "Поэма конца" Цветаевой написана по следам реальной любви поэта к ре-

альному лицу -- Константину Родзевичу, и действие разворачивается в реальном городе -- Праге. Конечно личные переживания, пропущенные через горнило искусства, видоизменяются, усиливаются, преувеличиваются, но основа все-таки реальна, а усиление -- один из основных приемов искусства, служащий для создания иллюзии правды: "преувеличенно -- то есть -- во весь рост!"

Стихотворение "от лирического героя" имеет отправной точкой лицо во многом вымышленное -- это маска, которую носит поэт, иногда поразительно совпадающая с его реальным лицом, иногда не имеющая с ним ничего общего. Так маска "поэта-хулигана" в лирических циклах Есенина -- почти Есенин, а маска "восторженного влюбленного" в лирике Фета -- кто-то другой, но уж точно не автор. (Пропасть между Фетом и Шеншиным, поражавшая многих современников.) В реальности оба уровня -- "от себя" и "от лирического героя" -- часто переплетены самым причудливым образом, и разъединить их не всегда просто, ибо маску поэт выбирает по образу и подобию своему, если не действительному, то желаемому. Такова маска "влюбленно-разочарованного" Блока, начавшего цикл "Кармен" за несколько месяцев до реальной встречи с Андреевой-Дельмас, которой он посвящен; или маска "жены-беззаконницы" ранней Ахматовой, которая подвергается телесному наказанию за неверность: "Муж хлестал меня узорчатым /вдвое сложенным ремнем", -- стихотворение, за которое реальная Ахматова по-

лучила выговор от реального Гумилева: "Садиста из меня сде-
лала!"[145]

Вообще частичное совпадение биографической правды и
поэтической маски (поэта и персоны) и есть золотая формула
искусства. Полный абиографизм редок и недоказуем, даже Бальмонт, Сологуб и Гиппиус во многом если не реально, то психологически биографичны (биография души).

Относителен и полный биографизм, даже в таких случаях, когда известен точный источник вдохновения, реальный
адресат, время написания и другие приметы исторической правды. Так возвышенно-платоническое пушкинское "чудное мгновенье", посвященное Анне Керн, разнится с реальным типом отношений $\frac{к}{с}$ ней Пушкина, а его тон высокой влюбленности дис-
гармонирует с ноншалантной игривостью письма к Соболевскому
о "M-me Kern", которую Пушкин "с помощию Божией на днях ----".[146]
Более близкий пример относительности полного биографизма --
две армянских и две азербайджанских Шаганэ, претендующие на
прототип героини "Персидских мотивов" так и не доехавшего
до Персии Есенина.

Под "мифологическим героем" мы подразумеваем не только персонажей мифов собственно и схожих с ними сказок, пре-
даний, былин и т.п., но и любое историческое или псевдоисто-
рическое лицо. Ибо история и псевдоистория равноценны (и
равно ценны) для поэтического сознания, да и не есть ли любое историческое лицо, будь то Соломон, Жанна Д'Арк или Стень-

ка Разин, реальная личность плюс ее мифологизация потомка-
ми, где второе всегда перевешивает первое, а порой и вовсе
вытесняет его? Не подменяется ли жизнь исторического лица
пятью-шестью легендами о нем и не становится ли выброс княж-
ны за борт с поэтической точки зрения более важным событи-
ем, чем все крестьянское восстание?

Мифологический герой привлекает поэта уже готовой формулой коллизии и связанной с ней суммой психологических переживаний. Пользуясь мифом, поэт как бы переходит от строи-
тельства кирпичами к строительству целыми блоками. Мифи-
ческий герой -- готовая личность со своим кругом тем и проб-
лем и, отсылая к нему читателя, поэт наполняет стихотворения всем огромным затекстом, связанным с этой личностью, само имя которой -- иконический знак его легенды или даже се-
рии легенд. В добавление ко всему такой поэтический текст
неизменно содержит элемент загадки, ибо полным и точным зна-
нием мифа обладает далеко не каждый читатель.

Через использование мифологических героев поэт выражает себя, дает свою оценку коллизии и персонажам, а зачастую задает сюжету новый оригинальный поворот. Настоящий поэт не просто пересказывает миф или привлекает его сюжет, но
творчески перерабатывает, уточняет, а порой и видоизменяет
его, привнося в поступки персонажей свое современное сознание, которое не могло быть им свойственно. Так в результате поэтического переосмысления происходит осовременивание

мифа, его усвоение новой культурой, ибо сквозь миф читатель слышит рассказ поэта о времени и о себе.

Мифы о древнегреческих и римских богах и героях широко привлекались западноевропейскими и русскими поэтами. Особенно характерно было такое использование классических мифов для поэтов европейского классицизма, ориентировавшихся на образцы великих писателей классической древности. Многочисленные переработки и мотивы мифологических тем характерны и для русских поэтов 19 века, как романтиков, так и реалистов. Пушкин и поэты пушкинской плеяды широко пользовались приемом аллюзии -- частичного упоминания или намека на миф, отправлением читателя к известному материалу. При этом многое, а иногда и весь сюжет мифа оставался за рамками самого поэтического текста. В двадцатом веке мифология часто привлекалась символистами, отчетливо слышны эллинистические мотивы в творчестве Мандельштама и Цветаевой.

Бродский предпочитает аллюзию на миф более последовательному его использованию, однако несколько стихотворений являются исключениями из этого правила. Я рассмотрю лишь два из них: "Эней и Дидона"[147] и "Одиссей Телемаку".[148]

В мифе об Энее и Дидоне, источником которого для Бродского послужила, по-видимому, "Энеида" Вергилия, поэта заинтересовало не самоубийство Дидоны как таковое из-за несчастной любви (мотив-клише многих стихов и картин), а причины, приведшие к нему. Одной из таких причин поэт считает разницу в психологии великого человека и обыкновенной женщины. Для Энея роман с Дидоной -- лишь эпизод, одно из многочисленных приключений на жизненном пути. Эней -- существо общественное, жизнь для него -- действительно путь, а не гавань, его постоянно влекут новые горизонты, новые испытания. К тому же, после бегства из Трои Эней не просто плавает по морям и океанам, у него есть определенная заветная цель -- найти новую родину.

Буря, заносящая Энея в Карфаген, -- случайность, как случайность и его любовь к царице Дидоне. Как бы ни была сильна последняя, в понимании Энея -- героя и общественного деятеля -- любовь вообще стоит неизмеримо ниже общественных дел в иерархии его моральных ценностей. Между личным и общественным в его сознании нет четкой границы, его внутренний мир сливается с миром внешним, географическим, который беспределен, в то время как для Дидоны весь мир сузился и стал равен любви к Энею, поэтому потеря его любви равноценна для нее потере мира. Эта разница в мироощущении героев задается в первой строфе стихотворения:

> Великий человек смотрел в окно,
> а для нее весь мир кончался краем
> его широкой греческой туники,
> обильем складок походившей на
> остановившееся море.

Остановившееся море -- образ, вещь необычная -- в сущности не море, а Эней глазами Дидоны, его туника -- оболочка, скрывающая от глаз царицы его истинное "Я", которое уже

не с ней, а где-то далеко за морями, и за морями настоящими.
Эта отчужденность героев в стихотворении дается на снижен-
ном не-геройском уровне и приложима к любым двум любовникам
вообще: он смотрит в окно и мыслями не с ней; она смотрит
ему в спину, думая о неизбежной разлуке. Два человека --
два мира. Разница в понимании мира переходит в разницу в
понимании любви в третьей строфе:

                              А ее любовь
         была лишь рыбой -- может и способной
         пуститься в море вслед за кораблем
         и, рассекая волны гибким телом,
         возможно, обогнать его -- но он,
         он мысленно уже ступил на сушу.

    Любовь Дидоны во много раз сильнее любви Энея -- это
рыба, способная обогнать корабль (любимое "рыбное сравнение"
у Бродского), но соревнуется она не с кораблем, а с чувствами и мыслями Энея, то есть опять же с его "Я", которое уже
и не в море даже, а на суше, там, где рыбе делать нечего, в
чужой среде.

    Конец стихотворения необычен. Страдания Дидоны и под-
робности сцены самосожжения вынесены за скобки сюжета. Вместо картины страдающей на костре женщины, дано восприятие самой Дидоной данного момента, причем восприятие визуальное:

                              Она стояла
         перед костром, который разожгли
         под городской стеной ее солдаты,
         и видела, как в мареве костра,
         дрожащем между пламенем и дымом,
         беззвучно распадался Карфаген

         задолго до пророчества Катона.

Такой неожиданный конец стихотворения открывает нам и трактовку его темы на символическом уровне -- разрушение любви есть пророчество разрушения города.

Описание сильных чувств заменено описанием восприятий, которые являются знаками этих чувств и способны вызывать их во всей полноте в сознании читателя. Техника, которой пользуется здесь Бродский, сродни монтажу в кинематографии. Действительно, все стихотворение состоит из нескольких кадров. На кадры его можно разделить благодаря отчетливой ориентации поэта на визуальное восприятие:

I кадр (импрессионизм): Эней и Дидона в комнате. Он с бокалом в руке стоит у окна и смотрит вдаль. Она -- на него.

II кадр (сюрреализм): Дидона-рыба перегоняет корабль, но Эней уже ступает на берег Италии.

III кадр (неореализм): Эней отплывает от Карфагена, Дидона смотрит вслед (и тот и другая на фоне массовки).

IV кадр (экспрессионизм): Дидона смотрит на Карфаген, распадающийся в мареве костра.

Словесно-образная инструментовка стихотворения складывается на образах моря: туника Энея -- остановившееся море, его губы -- раковины, горизонт в бокале -- отражение морского горизонта, любовь Дидоны -- рыба, Эней -- корабль (и человек на корабле), слезы Дидоны -- море. На уровне звукового символизма море первых четырех строф переходит в марево последней, пятой.

На смысловом уровне содержание стихотворения перерастает рамки проблемной ситуации мифических геров -- в целом -- это архитип разницы в отношении к любви мужчины и женщины, тем более мужчины -- общественной личности. В этом смысле любопытно, что в тексте нет упоминания имен, но если образ Энея дается парафразой "великий человек" и "великий муж", то Дидона просто "она". В стихотворении поэт не осуждает ни ту, ни другую сторону, он лишь показывает два разных мироощущения, приходящих в столкновение, обусловленное судьбой.

Следует отметить, что Бродский мог познакомиться с сюжетом и по трагедии "Дидона", которую написал "переимчивый" Княжнин. Между прочим в пушкинские времена "переимчивый" означало не склонность к плагиату, а положительное качество -- умение перерабатывать, "склонять на русские нравы" классические или иностранные сюжеты. "Дидона" Княжнина могла служить Бродскому лишь самым общим толчком к теме, ибо ни по жанру, ни по объему, ни по содержанию не сравнима с маленьким стихотворением. Княжнина, в сущности, можно было бы и не упоминать вовсе, если бы мы не рассматривали творчество Бродского на фоне традиций русской литературы, ибо сюжет Вергилия общеизвестен и, кроме переводов, существует в многочисленных пересказах и переложениях. Кроме того, толчок к теме может быть задан не только текстом мифа, но и картиной или либретто оперы.

В стихотворении "Одиссей Телемаку" мифологический суб-
страт использован более полно. Однако манера подхода к материалу мифа весьма сходна: все коллизии и физические испытания (т.е. реальное действие) вынесены за рамки сюжета; состояние героя -- раздумие, рефлексия.

Основные чувства персонажа, просвечивающие сквозь размышления -- отчужденность и одиночество. Стихотворение это
намного "личнее" "Энея и Дидоны", ибо автор тут не третье
лицо, а сам Одиссей -- поэт Бродский сквозь призму мифа. Форма стихотворения -- мысленный разговор с сыном, неотправлен-
ное письмо, ибо Одиссею не с кем, а может быть, и незачем его
отправлять. Сам герой находится на острове, во владениях царицы Цирцеи, превратившей его товарищей в свиней и пытающей-
ся заставить Одиссея забыть о родине и о семье. Об этом говорится в стихотворении обиняком, упоминаются лишь некоторые
элементы мифического эпизода:

> Мне неизвестно, где я нахожусь,
> что предо мной. Какой-то грязный остров,
> кусты, постройки, хрюканье свиней,
> заросший сад, какая-то царица,
> трава да камни...

Остров оказывается понятием чуждости среды, временного
пристанища, "не родины", а отсюда и безразличность к нему отношения, ибо один остров так же хорош (или плох) как и другой, вернее, одинаково чужд:

> Милый Телемак,
> все острова похожи друг на друга,
> когда так долго странствуешь, и мозг
> уже сбивается, считая волны,

> глаз, засоренный горизонтом, плачет,
> и водяное мясо застит слух.

Острова -- это вехи, ведущие домой и от дома, ведь дорога Одиссея -- путь по морю, для отсчета расстояния между
ними -- не "версты полосаты", а волны, и глаз засорен не пы-
лью, а горизонтом. Эта дорожка морских образов завершается
необычной метафорой "водяное мясо", которое "застит слух".
Так в результате долгих странствований притупляются области
ощущений -- ориентация в пространстве, зрение, слух, но в то
же время обостряются внутренние переживания, человек обращается вглубь себя, связь с внешним деловым миром и его событиями, столь прочная в обычное время, ослабляется, отходит
на задний план. Размышления о сыне и о себе впервые становятся для Одиссея важнее всех великих событий Троянской вой-
ны, исхода которой он даже не помнит. Недаром рассуждения
об острове вставлены в рамку этой, невозможной для Одиссея
в другое время аберрации памяти:

> Мой Телемак,
>   Троянская война
> окончена. Кто победил -- не помню.
>
> . . . .
>
> Не помню я, чем кончилась война,
> и сколько лет тебе сейчас, не помню.

Мотивом потери памяти пронизана вся первая часть стихотворения, вернее, не столько потери памяти, сколько потери чувства течения времени, высшим выражением трагизма которой является невозможность установить возраст сына. Выраже-

ние "терять время" в первой части стихотворения приобретает
новое, дополнительное содержание после прочтения его до конца: не только "терять время", но и "терять чувство времени":

> И все-таки ведущая домой
> дорога оказалась слишком длинной,
> как будто Посейдон, пока мы там
> теряли время, растянул пространство.

Есть и третье значение у этого выражения: вся Троянская война -- потеря времени, коль скоро понятие о ее результате так расплывчато. Впрочем, по ироническому замечанию героя, (маска Одиссея здесь в наибольшей степени обнаруживает
свою прозрачность) победили

> Должно быть, греки: столько мертвецов
> вне дома бросить могут только греки...

Гомеровскому хитроумному, точнее по подлиннику "много-
умелому" (политропос), Одиссею такая ирония никак не свойст-
венна. Именно она настраивает читателя на двойное восприятие стихотворения: не о русских ли это? Стихотворение-дабл-
деккер начинает обнаруживать свой другой этаж: Троянская война перекодируется как ироническое "война с государственной
машиной", Одиссей воспринимается как поэт-изгнанник, а Телемак -- его сын, оторванный от отца судьбой и пространством,
(сходный мотив встретится в "Лагуне": "потерявший память, от-
чизну, сына").

Вторая половина стихотворения -- рассуждения о Телемаке -- продолжает линию тематического символизма первой. Упо-
минающийся в ней враг Одиссея -- Паламед, действительно мо-

жет считаться причиной разлуки отца и сына. Как известно, не желая ввязываться в Троянскую войну (то есть формально быть в стороне от текущей политики), Одиссей прикинулся умалишенным; Паламед же открыл его секрет Агамемнону (властям). Технически это было осуществлено следующим образом. Симулирующий безумие Одиссей запряг в плуг быка и осла и стал засевать свое поле солью. Паламед, решивший предать Одиссея, взял завернутого в пеленки Телемака и положил его на борозду, по которой шел Одиссей. Последнему пришлось остановиться, чем он и выдал свое здравомыслие. Аллюзия на эту часть мифа содержится в следующих строках:

> Ты и сейчас уже не тот младенец,
> перед которым я сдержал быков.
> Когда б не Паламед, мы жили вместе.

Символически Паламед -- и реальная причина разлуки и, шире, сила, повернувшая колесо судьбы так, а не иначе. Конец стихотворения неожиданен: Одиссей вместо того, чтобы осуждать Паламеда (у Гомера он жестоко мстит последнему за предательство), утешается мыслью по происхождению чисто русской -- нет худа без добра (впрочем, и по-английски есть что-то об облаке и его подкладке):

> Но может быть и прав он: без меня
> ты от страстей Эдиповых избавлен,
> и сны твои, мой Телемак, безгрешны.

"Эдиповы страсти" в понимании скорей Фрейда, чем Софокла, а именно -- сексуально-психологический антагонизм отца и сына, приобретают в стихотворении на символическом уров-

не значение как антагонизма из-за политики, так и, в случае
солидарности со взглядами отца, антагонизма между сыном и
обществом, ведущего к развитию в сыне комплекса вины, а, возможно, и к преследованию его за "проступки" отца. Бродский-
Одиссей видит косвенное "добро" в том, что сын волею судьбы
избавлен от этих "страстей" (от "страх" и от "страдание"),
и его сны безгрешны, т.е. он еще находится на стадии "невинности" и далек от стадии "опыта".

В заключение несколько слов о форме стихотворения.
Оно написано ямбическим размером без рифмы (так же как и
"Эней и Дидона"). Стихотворение четко делится на две части
по форме и по смыслу: большая -- раздумья Одиссея о себе,
меньшая -- о Телемаке. Течение стиха размеренное и медлительное, соответствующее настроению лирического размышления,
которое все пронизано теплым интимным тоном обращения мыслями и словами к сыну: "Мой Телемак", "милый Телемак", "Расти
большой, мой Телемак, расти." Этот тон в сочетании с мелодичностью и прозрачной выразительностью стиха вызывает чувство сопереживания в читателе, независимо от того постигает он
второй уровень стихотворения или нет.

9. Нож и доска

Особую группу среди произведений Бродского составляют стихи, написанные на библейские темы. Одной из самых ранних и самых больших вещей этого плана является поэма "Исаак и Авраам".[149] Поэма эта и тематически и философски несравненно шире известного библейского рассказа об испытании Богом веры Авраама. Библейское сказание, лежащее в основе поэмы Бродского, есть лишь отправная точка для размышлений поэта о судьбах еврейского народа, о жизни, смерти и воскресении, о сложной символике для человечества этого библейского эпизода. Поэма Бродского широко раздвигает рамки библейского сказания, в котором нет ни долгого путешествия Исаака и Авраама по пустыне, ни чувств и мыслей, возникающих у них на пути к жертвеннику, ни куста, подающего Аврааму тайный знак о местонахождении алтаря, ни вещего сна Исаака, ни ночи, проведенной ими в пустыне.

С другой стороны, в поэме Бродского по сравнению с библейским эпизодом опущено упоминание агнца, запутавшегося рогами в кустарнике, которого Бог послал Аврааму для совершения жертвоприношения. По-видимому, этот эпизод показался поэту несущественным как для главной мысли библейской притчи (Авраам уже доказал силу своей веры), так и, тем более, для своего собственного осмысления этого события -- показать "что в мире зла нет".

Поэма вообще начинается в двадцатом веке в России, где кто-то зовет Исака в путь, -- мы не знаем, кто этот Исак, с кем он идет в дождливую погоду, куда и зачем. Призыв Абрамом (Авраамом) Исака (Исаака) в путь проходит через всю поэму как некий рефрен постоянности определенных отношений отцов и детей. Противопоставлением в экспозиции поэмы Исака и Исаака, а затем Абрама и Авраама, Бродский вводит читателя в тему раздумий об отчуждении/преемственности современного еврейства по отношению к библейскому. Читая Библию, Бродский не мог не отметить грандиозности библейских героев по сравнению с общей духовной нищетой евреев рассеяния (в частности, русских), не мог не размышлять о причинах такого если не вырождения, то значительного усекновения еврейского национального духа. Внешний стимул к теме -- современный Абрам, зовущий в путь сына своего Исака осенним дождливым днем на улице большого русского города, -- вводит читателя в сложную проблематику стихотворения, охватывающую проблемы зова отцов, жизнеспособности нации, смысла жертвы, доверия к Богу, отчуждения и возвращения, страдания и выживания. Через призму библейского сюжета вкратце рассматривается вся история еврейского народа, поступательное движение которого основано на трех главных понятиях: генетическая память, жертва и возрождение.

Сама легенда значительно видоизменяется и углубляется

причем углубление это идет за счет интенсивной психологической драматизации библейского сюжета.   При этом происходит не только расширение художественного времени рассказа, но и смещаются основные его акценты, -- психологически наиболее напряженным эпизодом становится не нож отца, занесенный над телом сына, а весь комплекс переживаний Авраама и предчувствий Исаака, предшествующие этой сцене.

Чрезвычайно сложна и символика поэмы, в основу которой положен контраст между современностью и библейским временем. Сегодняшние Исак и Абрам -- лишь отзвуки библейских Исаака и Авраама, но суть их жизни та же -- "иллюзия и дорога", говоря словами Бродского из другого стихотворения.   Долгая дорога, по которой идут двое, -- это и метафора всего еврейского народа, который вечно в пути, и вообще символ жизни, вечного движения.   Но еще до дороги, на подступах к самому библейскому сюжету в экспозиции от автора ставится вопрос усекновения еврейства (как духа, так и плоти) на примерах Исаака и Исака, Авраама и Абрама.   В экспозиции же задаются и лейтмотивы образности поэмы: образ Ис$\frac{a}{aa}$ка ассоциируется со свечой, А$\frac{в}{б}$р$\frac{aa}{a}$ма -- со сгоревшим кустом.   Одновременно эти образы даются в расширительном значении: молодое поколение -- все потомки Авраама -- воск, из которого можно лепить что угодно, старое поколение -- куст, генеалогическое дерево, превращенное в пепел.   Если можно возлагать надежды на возрождение народа, то только через Исака; Абрам глух, и взывать

к нему бесполезно. Трагедия отцов оказалась серьезнее трагедии детей:

> Здесь не свеча -- здесь целый куст сгорел.
> Пук хвороста. К чему здесь ведра Воска?

Сгоревший куст -- миллионы евреев, рассеянных по миру
в виде пепла из печей крематориев, унесших с собой вместе с
традициями и обычаями самое главное -- доверие к Богу и веру в абсолютную правоту его действий -- то есть то, что по
сути дела и было кредо Авраама, которого теперь не дозовешь-
ся. Потому и Исак -- олицетворение сегодняшнего еврейства --
снова в неведении того, куда и на что его ведут, а Авраама,
готового взять за все ответственность на себя, -- нет, а поэтому потерявший духовного поводыря Исак -- лишь часть того,
что было Исааком, лишь "огарок свечи". Тем не менее надежда на возрождение за Исаком, которому все-таки в отличие от
Абрама можно "вернуть звук", хотя для этого и придется кри-
чать:

> Исак вообще огарок той свечи,
> что всеми Исааком прежде звалась.
> И звук вернуть возможно -- лишь крича:
> "Исак! Исак!" -- и это справа, слева:
> "Исак! Исак!" -- и в тот же миг свеча
> колеблет ствол, и пламя рвется к небу.

Знаменательно и то, что, хотя к Аврааму бесполезно взывать, именно его голос влечет за собой Исака, побуждает его
в дорогу. Сценой такого побуждения начинается экспозиция,
эта же сцена, но уже перенесенная из современности в древ-
ность, знаменует и начало собственно библейской фабулы, при

этом декорация меняется: вместо городского дождливого пейзажа с мокрыми деревьями -- палящие зноем барханы древней Иудеи.
Отец ведет сына на заклание, но между ними нет разногласий,
сын полностью полагается на отца, отец -- на Бога, дух сына
не нарушен: "Свеча горит во мраке полным светом". После за-
ставочного диалога Авраама с Исааком, содержащего эту фразу
в качестве авторского комментария, начинается повествование
о дороге собственно. В этом отрывке появляется новый символ -- бледная трава песков -- "трава-скиталец" -- первое
вещественное олицетворение еврейского народа:

> Но то песок. Один густой песок.
> И в нем трава (коснись -- обрежешь палец),
> чей корень -- если б был -- давно иссох.
> Она бредет с песком, трава-скиталец.
> Ее ростки имеют бледный цвет.
> И то сказать -- откуда брать ей соки?
> В ней, как в песке, ни капли влаги нет.
> На вкус она -- сродни лесной осоке.

Здесь же на метафорическом уровне шествие по пескам
представляется в терминах плавания по морям -- частично отрывок этот -- развернутое метафорическое сравнение со сложными смысловыми ходами:

> Кругом песок. Холмы песка. Поля.
> Холмы песка. Нельзя их счесть, измерить.
> Верней -- моря. Внизу, на дне, земля.
> Но в это трудно верить, трудно верить.

И далее:

> Волна пришла и вновь уходит вспять.
> Как долгий разговор, смолкает сразу,
> от берега отняв песчинку, пядь
> остатком мысли -- нет, остатком фразы.
> Но нет здесь брега, только мелкий след

двух путников рождает сходство с кромкой
песка прибрежной -- только сбоку нет
прибрежной пенной ленты, -- нет, хоть скромной.
Нет, здесь валы темны, светлы, черны.
Здесь море справа, слева, сзади, всюду.
И путники сии -- челны, челны,
вода глотает след, вздымает судно.

Путники -- лодки, барханы -- море, путь -- жизнь. Но кроме "низа" -- песков,по которым шагают отец и сын, в их мире есть и "верх" -- небо, покрытое тучей, напоминающей лес. Этот лес как бы является отражением другого пейзажа, имеющего какое-то пока неясное отношение к реальному. В дальнейшем "небесный лес" будет поставлен в параллель к мрачным мыслям-предчувствиям Исаака и полностью раскроется в его вещем сне.

Поэма "Исаак и Авраам" отличается большой структурной сложностью. Библейский рассказ, драматизированный и дополненный многими несуществующими в каноническом тексте эпизодами, прерывается размышлениями третьего героя поэмы -- самого автора, пытающегося философски осмыслить ветхозаветное и связать его с настоящим. Связь между этими временами, данная формально посредством чередования библейских и современных пейзажей, на глубинном уровне раскрывается в авторских лирических отступлениях. О двух из них, начинающихся словами: "Еще я помню: есть одна гора", мы поговорим позднее. Сейчас же, чтобы не прерывать анализ символики и метафорики, остановимся на лирическом отступлении "о кусте". Поводом к нему послужил фабульный ход (отсутствующий в Библии) о кусте, подающем тайный знак Аврааму о конце пути:

> Внезапно Авраам увидел куст.
> Густые ветви стлались низко-низко.
> Хоть горизонт, как прежде, был здесь пуст,
> но это означало: цель их близко.

Исаак сначала не заметил куста, занятый вышеупомяну-
тым "небесным лесным пейзажем", но затем, увидев его, понял
какую-то его тайную связь с собственной судьбой. Вероятно,
куст произвел на него определенное впечатление, ибо он не
прошел мимо него, а остановился и задумался:

> Он бросил хворост, стал и сжал в руках
> бесцветную листву, в песок уставясь.

Эта пауза в рассказе -- время задумчивости Исаака около куста -- используется автором для его собственных размышлений. Он как бы переселяется на это "незанятое" время в
Исаака, сливается с ним. Раздумия поэта-Исаака о сущности
куста представлены длинной цепочкой перечислений того, на
что похож куст. Эти перечисления делают куст всеобъемлющим
символом жизни, жизни вообще -- растения, птицы, человека,
тела, души, народа:

> Колеблет ветер здесь не темный куст,
> но жизни вид, по всей земле прохожий.

Куст как олицетворение народа (в частности, еврейского) продолжает символику экспозиции о "сгоревшем кусте" и
как бы противоречит конечности "сгорания":

> С народом сходен -- весь его рассей,
> но он со свистом вновь свой ряд смыкает.

Здесь же звучит и мотив "отщепенчества", отпадения от нации:

а те, кто жаждет прочь -- тотчас трещат
и падают -- и вот он, хворост, хворост.

Несколькими строфами ниже метафора "ветви -- люди"
продолжает развивать тему отчуждения, аллегорически воспро-
изводя судьбу евреев рассеяния, оторвавшихся от родного куста и сожженных позже в печах крематориев:

Отломленные ветви мыслят: смерть
настигла их -- теперь уж только время
разлучит их, не то, что плоть, а твердь;
однако здесь их ждет иное бремя.
Отломленные ветви мертвым сном
почили здесь -- в песке нагретом, светлом.
Но им еще придется стать огнем,
а вслед за этим новой плотью -- пеплом.
И лишь когда весь пепел в пыль сотрут
лавины сих песчаных орд и множеств, --
тогда они, должно быть, впрямь умрут,
исчезнув, сгинув, канув, изничтожась.

В этой же части поэмы (размышление над кустом) начинает раскрываться и буквенная символика куста, куста, потерявшего корни (грамматические и жизнетворные):

Кто? Куст. Что? Куст. В нем больше нет корней.
В нем сами буквы больше слова, шире.
"К" с веткой схоже, "у" -- еще сильней.
Лишь "С" и "Т" в другом каком-то мире.

Символика двух последних букв проявляется в центральной повествовательной части поэмы -- сне Исаака:

Что ж "С" и "Т" -- а КУст пронзает хмарь.
Что ж "С" и "Т" -- все ветки рвутся в танец.
Но вот он понял: "Т" -- алтарь, алтарь,
а "С" на нем лежит, как в путах агнец.

Оказывается, что куст -- это не только символ жизни,
но и символ жертвы, и в этом последнем значении "куст" сбли-
жается с "крест", который является центром и средоточием кус-

та, его основой:

> Лишь верхней планке стоит вниз скользнуть,
> не буква "Т" -- а тотчас КРЕСТ пред нами.

Возможно предположить, что переход иудейской символики (куст, семисвечник в виде куста) в христианскую (крест, распятие) содержит намек на Исаака как прообраз Иисуса. Он так же, как Иисус безропотно шел на место жертвы, и так же нес на себе дрова для жертвоприношения, как Христос -- крест. Готовность Авраама принести в жертву сына -- прообраз аналогичного события Нового Завета: принесения Богом своего Сына в жертву за грехи всех людей с последующим Его воскресением. Все это можно рассматривать как параллель к мысли о возрождении еврейского народа после сожжения в лице современного мальчика Исака. Интересно, что сон Исаака содержит нечто вроде вознесения:

> И ветви, видит он, длинней, длинней.
> И вот они его в себя приняли.
> Земля блестит -- и он плывет над ней.
> Горит звезда...

Исаак как символ жертвы трактуется и в последующих строфах поэмы, где речь идет о буквенной символике этого имени:

> Пол-имени еще в устах торчит.
> Другую половину пламя прячет.
> И снова жертва на огне кричит.
> Вот то, что "ИСААК" по-русски значит.

Теперь вернемся к рассмотрению двух лирических отступлений "о горе". Первое из них воспроизводит горное озеро, безлюдную тропу и вишневые деревья, склоняющиеся к ней. О какой именно горе идет речь читателю не сообщается, отсутствие специальных примет превращает само место скорее в некий символ, нежели в конкретную существующую (или существовавшую) топографическую данность. Вспомним, что гора вообще "общее место" библейских сказаний -- многие знаменательные события происходили именно на горе: ковчег Ноя останавливается на горе Арарат в Армении, Авраам устраивает жертвенник и готовится к закланию Исаака на горе Мориа, на горе Хорива Моисею является Бог в виде неопалимой купины -- не сгорающего в огне куста, ставшего символом избранничества еврейского народа, притесняемого, но не гибнущего, на горе Синае Моисей получает от Бога заповеди, диавол искушает Христа властью на горе, на горе около Галилейского озера Иисус дает людям Новый Завет (нагорная проповедь), на горе Фавор происходит Преображение Господне, на горе Голгофе совершается распятие Христа и рядом с ней Его Воскресение, на горе в Галилее Иисус является апостолам и пятистам ученикам, на горе Елеонской происходит Вознесение Господне.

По-видимому, нет смысла искать конкретную гору, ибо не в горе как таковой дело, а лишь в ее способности открыть глазу максимальное пространство, позволить взглянуть на мир сверху вниз. Интерес же наблюдающего неизменно внизу, у подножия горы. В первом отступлении о горе центром внимания оказывается пустая тропа и тень листвы, лежащая на ней:

> Тропа пуста, там нет следов часами.
> На ней всегда лежит лишь тень листвы,
> а осенью ложатся листья сами.

Образ "тени" приобретает в последующих строках символику бесконечности смены поколений, смертей и рождений, иными словами, бесконечности обновления, знаменующей одновременно и преемственность между "отцами" и "детьми". Деревья, склоненные к земле прислушиваются и приглядываются к ней, как бы пытаясь узнать о своей родословной:

> Как будто жаждут знать, что стало тут,
> в песке тропы с тенями их родными,
> глядят в упор, и как-то вниз растут,
> сливаясь на тропе навечно с ними.

Во втором лирическом отступлении "о горе" тема "рощи-народа", "смерти -- возрождения", "отчуждения -- преемственности" отчетливо проявляется в уже знакомом нам метафорическом традиционном "гербертовском" ключе:

> Приходит ветер -- роща быстро гнется.
> Ее листва в сырой земле гниет,
> потом весной опять наверх вернется.
> На том стоит у листьев сходство тут.
> Пройдут года -- они не сменят вида.

В заключительных строках отступления символика бесконечности находит скрытое графическое выражение в цифре 8 -- которая есть не что иное, как поставленный на голову (или на ноги) знак бесконечности ∞ :

> Пчела жужжит, блестит озерный круг,
> плывет луна меж тонких веток ночью,
> тень листьев двух, как цифра 8, вдруг
> в безумный счет свергает быстро рощую

Если мы вспомним, что роща -- это олицетворение понятия "люди", то лист -- это один человек, тень листьев двух -- тень Исаака и Авраама. Мы уже упоминали, что на протяжении

всей поэмы прослеживается взаимодействие земного и небесного пейзажей, которое символизирует отношения Бога и небесных
сил с землянами. Символу "земного куста" (земляне) соответ-
ствует символ "куста небесного" (небожители). К Аврааму --
листу земного куста спускается Ангел -- лист небесного куста, чтобы возвестить ему благоволение Бога а заодно и объяс-
нить тайну вечной жизни народа:

> Пойдем туда, где все кусты молчат.
> Где нет сухих ветвей, где птицы свили
> гнездо из трав. А ветви, что торчат
> порой в кострах -- так то с кустов живые.
> Твой мозг сейчас, как туча, застит мрак.
> Открой глаза -- здесь смерти нет в помине.
> Здесь каждый куст -- взгляни -- стоит, как знак
> стремленья вверх среди равнин пустыни.
> Открой глаза: небесный куст в цвету.
> Взгляни туда: он ждет, чтоб ты ответил.
> Ответь же, Авраам, его листу --
> ответь же мне -- идем". Поднялся ветер.
> "Пойдем же, Авраам, в твою страну,
> где плоть и дух с людьми -- с людьми родными,
> где все, что есть, живет в одном плену,
> где все, что есть, стократ изменит имя.
> Их больше станет, но тем больший мрак
> от их теней им руки, ноги свяжет.
> Но в каждом слове будет некий знак,
> который вновь на первый смысл укажет.
> Кусты окружат их, поглотит шаг
> трава полей, и лес в родной лазури
> мелькнет, как Авраам, как Исаак.
> Идемте же. Сейчас утихнет буря.

Как видим, лирическое отступление здесь гармонически
переходит в продолжение рассказа об Исааке и Аврааме, веду-
щееся уже в виде монолога Ангела. Ангел как бы подчеркивает
мысль, выраженную метафорически в отступлении о том, что смерти нет, есть жизнь, осуществляющаяся постоянным переходом
плоти в дух и духа в плоть, прошлое всегда живет в будущем,

а будущее в прошлом, жизнь -- преемственность поколений, выраженная в круговороте духа и плоти.

Второе лирическое отступление "о горе" вклинивается в монолог Ангела, который возвещает о конце испытания Богом Авраама. Интересно сравнить это место с соответствующим отрывком из Библии:

> 12. Ангел сказал: не поднимай руки твоей на отрока и не делай над ним ничего; ибо теперь Я знаю, что боишься ты Бога и не пожалел сына твоего, единственного твоего, для Меня.

И далее через несколько строк:

> 15. И вторично воззвал к Аврааму Ангел Господень с неба,
> 16. И сказал: Мною клянусь, говорит Господь, что, так как ты сделал сие дело, и не пожалел сына твоего, единственного твоего,
> 17. То Я благословляя благословлю тебя, и умножая умножу семя твое, как звезды небесные и как песок на берегу моря: и овладеет семя твое городами врагов твоих;
> 18. И благословятся в семени твоем все народы земли за то, что ты послушался гласа Моего.[150]

У Бродского идейная посылка монолога Ангела совсем иная: в ней делается упор не на будущее величие народа и поражение его врагов, а на отсутствие в мире зла. Мысль же о будущем умножении потомства звучит глухо и скорей в плане желаемого, чем действительного (wishful thinking):

> "Довольно, Авраам. Всему конец.
> Конец всему, и небу то отрадно,
> что ты рискнул, -- хоть жертве ты отец.
> Ну, с этим все. Теперь пойдем обратно.
> Пойдем туда, где все сейчас грустят.
> Пускай они узрят, что в мире зла нет.
> Пойдем туда, где реки все блестят,
> как твой кинжал, но плоть ничью не ранят.

> Пойдем туда, где ждут твои стада
> травы иной, чем та, что здесь; где снится
> твоим шатрам тот день, число когда
> твоих детей с числом песка сравнится."

Иной оказывается и психологическая атмосфера отрывка. Ангел не возвещает и обещает, а отбирает нож и утешает Авраама, понимая какую душевную драму он только что пережил, другими словами, Ангел обращается к Аврааму по-человечески. Синтаксически такой процесс успокаивания выражен использованием простых нераспространенных предложений, иногда в одно слово, вообще свойственных подобной ситуации в реальной жизни:

> Довольно, Авраам, испытан ты.
> Я нож забрал -- тебе уж он не нужен.
> Холодный свет зари залил кусты.
> Идем же, Исаак почти разбужен.
> Довольно, Авраам. Испытан. Все.
> Конец всему. Все ясно. Кончим. Точка.
> Довольно, Авраам. Открой лицо.
> Достаточно. Теперь все ясно точно."

В принципе этим монологом кончается библейское сказание об Исааке и Аврааме, но не кончается поэма Бродского. За ним следует еще одно лирическое отступление, данное от лица некоего пастуха, глядящего сверху вниз: "С горы глядит пастух." Кто этот пастух не сказано, то ли Авраам, то ли Бог. Ясно только, что в пастуха на время переселился автор, чтобы выразить свои идеи.

Это лирическое отступление "о ноже и доске" становится метафизическим центром поэмы, к которому с$\frac{x}{в}$одятся почти все его темы. Проблема "ножа и доски" символически связана с кульминационной сценой библейского сказания -- ножом в руке отца, занесенного над телом сына. Однако философски этот образ значительно шире и глубже. Это общий закон жизни в миниатюре, постоянная борьба материи с самой собой, борьба, при которой сами понятия "поражения" и "победы" весьма и весьма относительны. Диалектическая борьба противоположностей и есть жизнь лишь потому, что противоположности одновременно и родственности, они сделаны из одного материала как Авраам и Исаак. Нож -- лишь орудие их разделяющее и одновременно соединяющее, поэтому он всегда и остается, по словам Бродского, "слугою двух господ: ладони и доски..." Иными словами, "агрессивное начало" (ладонь) никак не может предсказать исхода дела из-за наличия "противодействующего субъекта" (доски). Авраам (ладонь) не знает, как он будет жить дальше, если убьет сына (доска). Бог (ладонь) не знает заранее как сможет себя повести человек (Авраам, он же -- нож в руке Господа, его оружие), если он посягнет на плоть от плоти своей, то есть на себя самого. Поняв, что убийство отцом сына ничего в сущности не докажет, ибо Авраам не знает себя и не управляет собой полностью, как и Бог Авраамом, Создатель решает остановить испытание. Человек -- божье созданье, неожиданно оказывается для Бога "противодействующим субъектом", т.е. в своих помыслах и действиях не вполне предсказуемым Богом, то и дело выходящим из-под его контроля. Орудие Бога становится неэффективным, застревает в им же созданной материи:

> Вонзаешь нож (надрез едва ль глубок)
> и чувствуешь, что он уж в чьей-то власти.
> Доска его упорно тянет вбок
> и колется внезапно на две части.
> А если ей удастся той же тьмой
> и сучья скрыть, то бедный нож невольно,
> до этих пор всегда такой прямой,
> вдруг быстро начинает резать волны.

Парабола "о ноже и доске" продолжает и метафорическую тему "куста-народа". Народ (доска) несет в себе генетическую память своего исторического развития, генеалогического древа, куста, отраженного в трещинах доски. Эти трещины находятся в постоянной диалектической борьбе-развитии, обусловленной постоянным столкновением-преемственностью отцов и детей:

> Все трещины внутри сродни кусту,
> сплетаются, толкутся, тонут в спорах,
> одна из них всегда твердит: "расту",
> и прах смолы пылится в темных порах.

Рост народа определяет его целостность, однородность его материала -- "вход" в сей дом со "стенкой" слит, поэтому "агрессивное начало" (нож) встречает неизменное сопротивление. Отсюда и третья тема поэмы, вплетенная в параболу -- о невозможности уничтожить народ полностью, вырезав его или стопив в печах.

Следующее лирическое отступление, разворачивающееся на фоне российского пейзажа, сродни как лирическим отступлениям "о горе" (мыслью о бесконечности пути), так и параболе "о ноже и доске": мчащийся по земле поезд "режет" материю, устремляясь в бесконечность, снова обозначенную графически цифрой 8:

> Бесшумный поезд мчится сквозь поля,
> наклонные сначала к рельсам справа,
> а после -- слева -- утром, ночью, днем,
> бесцветный дым клубами трется оземь --
> и кажется вдруг тем, кто скрылся в нем,
> что мчит он без конца сквозь цифру 8.
> Он режет -- по оси -- ее венцы,
> что сел, полей, оград, оврагов полны.
> По сторонам -- от рельс -- во все концы
> разрубленные к небу мчатся волны.

И далее проблема ладони, ножа и доски перекодируется в терминах несущегося состава:

> Сквозь цифру 8 -- крылья ветряка,
> сквозь лопасти стальных витков небесных,
> он мчит вперед -- его ведет рука,
> и сноп лучей скользит в холмах окрестных.
> Такой же сноп запрятан в нем самом,
> но он с какой-то страстью, страстью жадной,
> в прожекторе охвачен мертвым сном:
> как сноп жгутом, он связан стенкой задней.
> Летит состав, во тьме не видно лиц.
> Зато холмы -- холмы вокруг не мнимы,
> и волны от пути то вверх, то вниз
> несутся, как лучи от ламп равнины.

Поэма заканчивается лирическим отступлением, которое непосредственно вводит в повествование третьего героя -- автора, который так же как Исаак ассоциируется со свечой. Шире -- горящая свеча символизирует человека в единстве его телесной (воск) и духовной (пламя) субстанции. Свеча горит "всего в одном окне" вопреки враждебной окружающей действительности, нацеленной на то, чтобы погасить ее пламя. Поэт (свеча) находится в комнате, полное одиночество его подчеркивается враждебной средой, бесконечность которой передается приемом расширения пространственных ориентиров: комната, дом, двор, ночь: "Двор заперт, дворник запил, ночь пуста." Вражебная среда предствалена сразу на двух метафорических уровнях -- она и тюрьма пламени (духа) и одновременно чуждая среда -- вода, море. О засовах и задвижках этой тюрьмы говорится в морских терминах:

> Засовы, как вода, огонь обстали.
> Задвижек волны, темный вал щеколд,
> на дне -- ключи -- медузы, в мерном хоре
> поют крюки, защелки, цепи, болт:
> все это -- только море, только море.

Несмотря на враждебную среду пламя продолжает гореть. Выражение "язык свечи" в последнем четверостишии, будучи уже само по себе метафорой-клише, реализуется во вторичном значении как язык (речь) человека (поэта), и шире, его сознание, которое не постигает мысли о спасении (переходе духа в тело, а тела -- в дух), страшится своей конечности:

> ...   -- Но сам язык свечи,
> забыв о том, что можно звать спасеньем,
> дрожит над ней и ждет конца в ночи,
> как летний лист в пустом лесу осеннем.

Закончим анализ поэмы составлением структурного плана ее частей:

1) Диалог современного Исака и Абрама.

2) Отступление о символике усекновения имен Исаак и Авраам.

3) Диалог библейского Исаака и Авраама.

4) Начало сюжета.

5) Первое отступление "о горе".

6) Продолжение сюжета: встреча с кустом.

7) Лирическое отступление "о кусте", перемежающееся с повествованием о пути к жертвеннику.

8) Продолжение сюжета: сцена у костра.

9) Сон Исаака.

10) Продолжение сюжета: сцена готовности к жертвоприношению, явление Ангела и его монолог.

11) Второе отступление "о горе".

12) Продолжение сюжета: конец монолога Ангела.

13) Лирическое отступление "о ноже и доске".

14) Продолжение сюжета: сцена "Исаак и Ревекка" из другого библейского эпизода.

15) Диалог современного Исака с Абрамом.

16) Отступление о буквенной символике имени Исаак.

17) Диалог современного Исака и Абрама.

18) Современный летний сельский пейзаж с идущим поездом.

19) Современный городской пейзаж, дом автора, его комната, стол, бумага, свеча в подсвечнике.

20) Видение "о лисе" и символика подсвечника, свечи и пламени.

Поэма "Исаак и Авраам" замечательна еще и тем, что это первое полнокровное поэтическое произведение повествовательного жанра у Бродского, если не считать "Холмов", сюжет которых все-таки несколько схематичен и целиком находится в подчинении философской идеи смерти как непосредственной составляющей жизни. В то же время "Исаак и Авраам" для жанра

повествовательной поэмы на русской почве -- вещь весьма новаторская, искусно уравновешивающая рассказ собственно со
сложной символикой, метафоричностью и философским переосмы-
слением события.   Такая комбинация едва ли характерна для
русской нарративной поэзии как старой, так и новой.

10. Мир глазами туриста

Жанр стихотворения-авторского путеводителя -- один из самых устойчивых в западноевропейской поэзии: он характерен почти для всех ее течений, периодов и школ. Классицисты и романтики особенно часто пользовались этим жанром -- первые, потому что могли размышлять в его рамках о вечных вопросах жизни и мироздания, вторые -- о любви, о смерти и о себе. Вообще новое место, посещаемое поэтом, -- прекрасная отправная точка и разгонная площадка для разнообразных лирических и философских излияний, которые было бы труднее выразить, не будь под рукой этого многоцветного экскурсионного материала, все скрепляющего $\frac{\text{ло}}{\text{ма}}$гическим цементом своего безапелляционного "à propos". С другой стороны, новые места, действуя на воображение поэта, возбуждая и обостряя чувства, заставляют его глубже вникнуть в круг волнующих его вопросов, сильнее пережить и перечувствовать прошлое и настоящее, а иногда и предугадать будущее.

Стихотворение-путеводитель формально имеет и то преимущество, что даже в своем примитивнейшем виде представляет читателю место глазами поэта, т.е. в оригинальном и неповторимом ракурсе, другими словами, может продержаться даже на голом "couleur locale". Кроме того, за счет экзотики весьма обогащается словарь стихотворения, элемент новизны которого резко снижает предсказуемость текста, даже при отличном знании языка предыдущих стихотворений. На русской почве трудно назвать имя поэта, который бы пренебрег этим жанром. Поэтому можно говорить и о его издержках, каковые чаще всего проявляются в следующих стереотипных подходах: поэт восхищается красотой и оригинальностью места, его былой или настоящей исторической славой, или поэт сравнивает жизнь в чужом месте с жизнью на родине (чаще в пользу последней: парижский и американский циклы Маяковского, все подобные циклы Евтушенко, Вознесенского и других современных поэтов), или поэт предается лирическим излияниям по поводу утраченной любви, изгнания (кавказские циклы романтиков).

Конечно "стереотип" здесь понятие очень общее, в каждом из таких стереотипов масса возможностей для любых тем и размышлений, тем не менее поэт все-таки стеснен его рамками, особенно если он ограничивается одной случайной встречей, одним объектом, привлекшим его внимание, будь то парижанка, работающая в уборной, художник, рисующий на асфальте, танцовщица, исполняющая в баре стриптиз, или Эйфелева башня, Бруклинский мост и Эмпайр Стейт Билдинг.

Наиболее сложный, комплексный подход, при котором поэт в малой форме успевает затронуть философские, исторические, литературные, бытовые и лирические темы, пожалуй, ярче всего выражен у символистов (см., например, "Равенну" Блока). Такой комплексный подход -- историко-философско-литературно-

лирический комментарий к месту посещения наблюдается и в стихах Бродского, с той только разницей, что всегда личность
поэта выдвигается на передний план, а камни всего лишь фон
для его поэтического самовыражения.

Однако комплексность Бродского качественно иная в силу его нацеленности на выражение глубинного, сути вещей и
человеческого существования, в каждом из его комментариев
присутствуют излюбленные коренные темы -- время, пространство, Бог, жизнь, смерть, искусство, поэзия, изгнание, одиночество. При этом читатель воспринимает и быт, и дух места, и его сегодняшний и исторический национальный колорит.
Емкость мысли, глубина наблюдений и компрессия выражения --
вот то новое, что Бродский вносит в жанр "стихотворения глазами туриста", не говоря уже о метрическом и ри$\frac{ф}{т}$мическом
своеобразии, которое ставит его на первое место в русской,
а, может быть,и в мировой поэзии.

Одно из лучших стихотворений этого жанра -- "Декабрь
во Флоренции",[151] датированное 1976 годом. Стихотворению
предпослан эпиграф из Анны Ахматовой: "Этот, уходя, не оглянулся..." Кто "этот" становится ясным из текста, к которому нас отправляет эпиграф: маленькому стихотворению "Данте"
1936 года. Так как Бродский рассчитывает на читателя, хорошо знакомого с текстом "Данте", ибо он не уточняет источник цитаты, освежим в памяти ахматовское стихотворение, важ-
ное и для понимания некоторых сторон текста Бродского:

ДАНТЕ

> Il mio bel San Giovanni.
> Dante

> Он и после смерти не вернулся
> В старую Флоренцию свою.
> Этот, уходя, не оглянулся,
> Этому я эту песнь пою.
> Факел, ночь, последнее объятье,
> За порогом дикий вопль судьбы.
> Он из ада ей послал проклятье
> И в раю не мог ее забыть, --
> Но босой, в рубахе покаянной,
> Со свечой зажженной не прошел
> По своей Флоренции желанной,
> Вероломной, низкой, долгожданной... [152]

Стихотворение Ахматовой в свою очередь предполагает

знание читателем биографии итальянского поэта. Напомним

кратко ее основные пункты. Данте был не только поэтом, но

и политическим деятелем. Когда в 1301 году Данте был в отъ-

езде, во Флоренции пришла к власти партия "черных Гвельфов",

победив партию "белых Гвельфов", к которой принадлежал поэт.

В начале 1302 года Данте заочно судили и приговорили к сож-

жению и конфискации имущества. Это означало, что поэт боль-

ше никогда не сможет вернуться в свой родной город. С это-

го времени и до конца своих дней Данте остался изгнанником.

Его жена и дети жили во Флоренции, сам же он переезжал из

одного итальянского города в другой. Правда, в 1315 году

флорентийские власти предложили Данте вернуться во Флорен-

цию при условии, что он признает себя политическим преступ-

ником и примет участие в процессии покаяния -- пройдет со

свечой в руке по городу до собора Сан-Джованни, встанет на

колени перед ним и попросит у города прощения. Данте отверг это предложение как унизительное. В письме, которое сохранилось до наших дней, Данте пишет: "Разве я не могу смотреть на солнце и звезды с любого места на земле? Разве я не могу размышлять о великих вопросах в любом месте под небом? Зачем же мне подвергаться постыдной и унизительной процедуре перед народом Флоренции?"[153] Последние годы своей жизни Данте провел в Равенне. В знаменитой "Божественной Комедии", целиком написанной в изгнании, поэт неоднократно упоминает свой родной город, его площади и улицы, мосты над рекой Арно, его дворцы и соборы. В строках ахматовского стихотворения содержится намек на части "Божественной Комедии", в которых упоминается Флоренция, -- "Ад" и "Рай", хотя они и написаны у нее с маленькой буквы. Данте умер в Равенне в 1321 году. Через 50 лет, когда Данте был уже знаменит по всей Италии как "божественный поэт", флорентийские власти попросили Равенну вернуть прах поэта на родину. Такие просьбы исходили от Флоренции неоднократно, но Равенна неизменно отвечала отказом, мотивируя его нежеланием самого поэта возвращаться на родину даже в виде праха. Эта легенда (ибо нигде нет документальных сведений о подлинном желании Данте) и послужила отправной точкой стихотворения Ахматовой.

Строка из ахматовского "Данте", выбранная Бродским в качестве эпиграфа, аллюзийно наиболее емкая -- в ней содержится намек на эпизод из книги Бытия о жене Лота, которая оглянулась на башни родного Содома и превратилась в соляной столп. Для Ахматовой , у которой на эту тему есть стихотворение, написанное ранее ("Лотова жена", 1924) тема "Данте" -- совершенно противоположная: этот -- не оглянулся, и не потому, что недостаточно любил Флоренцию, а потому, что предпочел изгнание унижению. Можно предположить, что тема Данте-изгнанника привлекла Ахматову в силу раздумий о судьбе поэтов на родине и поэтов в эмиграции, многие из которых были ее друзьями. Строчка "этому я эту песнь пою" звучит как стихотворная шифровка и, возможно, сквозь призму образа Данте подразумевает неизвестного нам адресата. Ясно одно -- Ахматова на стороне поэта в вопросе о том, что лучше -- свобода на чужбине или унижение на родине, по крайней мере, в этом стихотворении (вопрос об эмиграции был для Ахматовой больным и отношение к нему в разные годы -- разным).

Возможно, Бродский более остро "почувствовал" стихотворение, когда он сам стал изгнанником, и тема "Данте" внезапно оказалась его кровной темой. Говоря о великом итальянском поэте (нигде не называя его по имени), он думает и о своей судьбе, то есть создает такую дистанцию, в которой действуют невидимые силовые линии. Формально же речь идет о Данте, ибо Флоренция для Бродского прежде всего родина великого поэта, увиденная его глазами задолго до реального посещения. Экскурсия по городу превращается в экскурсию по дантовским местам.

Стихотворение состоит из девяти строф по девять стихов

в каждой, написанных сложным гекзаметрического вида размером со многими модификациями и искусным использованием пиррихиев и цезур. Новизна метра и ритма сочетается и с новизной рифм, среди которых часто встречаются составные. Формула рифмовки стихотворения: ааавввссс -- тотальный вариант
терцаримы.

Образ Данте, косвенно введенный уже эпиграфом, становится объектом раздумий русского поэта в первой строфе -- к
нему относится фраза: "ты не вернешься сюда". Здесь же содержится и аллюзия на дантовское уподобление архитектуры Флоренции лесу: "Что-то вправду от леса имеется в атмосфере /это-
го города". Для Бродского Флоренция начинается с Арно, которую Данте в "Комедии" в зависимости от настроения данного
момента называл то "прекрасным потоком" (il bel fiume), то
"проклятой и несчастной канавой" (la maladetta e sventurata
fossa). У Бродского для потока найден отстраненно-ирони-
ческий эпитет "обмелевший" и того же плана слово "населенье"
вместо "люди", "жители" или, скажем, "влюбленные". Флорен-
тийцы напоминают русскому поэту четвероногих, отсюда сближение "люди-звери" и далее переход к лесу как месту их пре-
бывания. Никакого любования и восхищения местным колоритом
нет и в помине (здесь -- полный разрыв с традицией), такое
же сниженно-ироническое отношение к красотам города будет
продолжаться вплоть до последней строфы, в которой обозна-
чится резкий поворот настроения. Здесь же, характеризуя Фло-

ренцию в целом, Бродский употребляет неожиданную и немыслимую по непоэтичности фразу, которую бы отверг любой романтик или символист -- "это -- красивый город". У него же эта фраза -- просто констатация факта, сигнал исчерпанности темы "любования" как банального подхода русского поэта к итальянскому городу. Не город и его население интересуют Бродского, а жизнь поэта и его связь с городом, любого поэта, особенно поэта-изгнанника, скажем, Данте.

Во второй строфе речь идет о подъезде его дома, находящегося недалеко от Синьории -- бывшего флорентийского "сената", членом которого одно время был Данте, и который позже осудил его на вечное изгнание:

> твой подъезд в двух минутах от Синьории
> намекает глухо, спустя века, на
> причину изгнанья: вблизи вулкана
> невозможно жить, не показавый кулака; но
> и нельзя разжать его, умирая,
> потому что смерть -- это всегда вторая
> Флоренция с архитектурой Рая.

Последняя фраза содержит аллюзию на ту часть "Рая", в которой Данте, сопровождаемый Беатриче, входит в рай и, поднимаясь из сферы в сферу, постигает его архитектуру. Но, когда он уже достиг восьмого неба, он обращается мыслью к "il mio bel San Giovanni" (ахматовский эпиграф) -- маленькому собору, в котором его крестили. Архитектура Рая ассоциируется с архитектурой родного города. Аллюзия эта вплетена в тему Бродского о кулаке и смерти -- первое тематическое сближение Данте и автора. Смерть -- вторая Флоренция, потому что и в архитектуре Рая есть, по-видимому, своя "Синьория", которой захочется показать кулак.

Третья строфа продолжает наблюдения поэта, представляющего нам город несколькими образными импрессионистическими деталями: в первой строфе: "Двери вдыхают воздух и выдыхают пар", во второй: "Глаз, мигая, заглатывает, погружаясь в сырые /сумерки, как таблетки от памяти, фонари", в третьей: "В полдень кошки заглядывают под скамейки, проверяя черны ли /тени". Фраза о кудрях красавицы, сравниваемая со "следом ангела в державе черноголовых" смутно несет тему Беатриче.

В четвертой строфе происходит переход от частного к общему, от данной судьбы Данте к судьбе поэта вообще. Бродский здесь вступает на любимую территорию темы "части речи", остающейся от человека:

> Человек превращается в шорох пера по бумаге, в кольца, петли, клинышки букв и, потому что скользко, в запятые и точки. Только подумать, сколько раз, обнаружив "м" в заурядном слове, перо спотыкалось и выводило брови то есть, чернила честнее крови.[154]

Своеобразие поэтического видения Бродского проявляется и в тонкости и оригинальности образной детали -- это видение мира совершенно самостоятельное и необычное. Природу художественной детали Бродского трудно определить из-за ее абсолютной новизны -- здесь какое-то соединение поэтики импрессионизма и экспрессионизма, поэтики, базирующейся не столько на поэтической, сколько на живописной традиции двад-

цатого века, где образная деталь служит скорее для выражения внутреннего разлада, нежели отражения поверхностной гармонии. Отсюда и полный отказ Бродского от ориентации на
внешнюю красивость при описании "красивого города". Приглу-
шенная лиричность наряду с точностью наблюдения и оригинальностью и четкостью языковой формы характерна для образной
детали Бродского в целом, на уровне его поэтики. Художественная деталь Бродского не бьет по глазам, ибо она семантически уместна, контекстуально оправдана, вовлечена в сложные отношения с другими уровнями текста. Виртуозная вариативность художественной детали у Бродского препятствует ее
описанию через некоторый постоянный набор структурных типов,
она непредсказуема и в то же время несет какие-то определенные черты единой манеры, отчетливо воспринимаемой на чувственном уровне.

Пятая строфа представляет собой распространенное сравнение -- поэт описывает дом-музей Данте в терминах полости
рта. Последняя строчка строфы -- один из примеров цифровой
образности -- две старые цифры "8" -- две старушки-смотри-
тельницы, встречающие поэта.

В шестой строфе место действия -- флорентийская кофей-
ня, куда поэт заглянул перекусить. Флоренция дается в двух
деталях -- взглядом из окна, отмечающим дворец и купол собора. Подспудная тема Данте и его изгнания звучит в строчках
о дряхлом щегле, который, "ощущая нехватку в терцинах", "раз-

ливается в центре проволочной Равенны".

Теме любви и смерти посвящена седьмая строфа, содержащая скрытую полемику с итальянским поэтом. Последняя строка "Божественной Комедии" о любви, которая движет солнце и прочие звезды (l'amor che move il sole e l'altre stelle) вызывает негативный комментарий Бродского:

> Выдыхая пары, вдыхая воздух, двери
> хлопают во Флоренции. Одну ли, две ли
> проживаешь жизни, смотря по вере,
> вечером в первой осознаешь: неправда,
> что любовь движет звезды (Луну -- подавно)
> ибо она делит все вещи на два --
> даже деньги во сне. Даже, в часы досуга,
> мысли о смерти. Если бы звезды Юга
> двигались ею, то в стороны друг от друга.

Восьмая строфа снова возвращает нас на улицы Флоренции, но это уже не Флореция Данте, а современный город двадцатого века с громким визгом тормозов, полицейскими на перекрестках и репродукторами, "лающими о дороговизне". В конце строфы использована буквенная образность, нередко встречающаяся в стихах зрелого Бродского: "Полицейский на перекрестке /машет руками, как буква "ж", ни вниз, ни /вверх". В целом восьмая строфа завершает картину Флоренции глазами поэта, данную суммой разрозненных впечатлений, в основном, визуального характера. Эти впечатления переданы негативными деталями современной (не дантовой) Флоренции: люди напонают четвероногих, у торговок бранзулеткой "несытые взгляды" (ахматовское выражение, перекочевавшее из области вожделения в сферу меркантилизма), набережные сравниваются с оце-

пеневшим поездом, дом-музей Данте пугает безголосьем, в ко-
фейне пыльно, щегол в клетке дряхлый, столик сделан из гряз-
ного мрамора, на Пьяцца дель Дуомо -- визг тормозов, прохожий пересекает мостовую "с риском быть за$\frac{к}{п}$леванным насмерть",
вид самого Дуомо вызывает слезу в зрачке и т.д. Все это описание заканчивается невеселым восклицанием: "О неизбежность
"ы" в правописаньи "жизни"!"

Заключительная строфа переводит читателя в несколько
иной лирический план, служа своеобразным контрбалансом к предыдущим восьми. Идентификация лирического героя (в данном
случае самого поэта) с Данте, намеченная еще в четвертой
строфе, здесь достигает своего апогея, образы города и поэта сливаются,и становится трудно различить, то ли речь идет
о Данте, Флоренции и Арно, то ли о Бродском, Ленинграде и
Неве:

> Есть города, в которые нет возврата.
> Солнце бьется в их окна, как в гладкие зеркала. То
> есть, в них не проникнешь ни за какое злато.
> Там всегда протекает река под шестью мостами.
> Там есть места, где припадал устами
> тоже к устам и пером к листам. И
> там рябит от аркад, колоннад, от чугунных пугал;
> там толпа говорит, осаждая трамвайный угол,
> на языке человека, который убыл.

Сквозь пейзажи Флоренции просвечивает Ленинград, и за-
ключительным аккордом снова звучит тема "части речи". Трудно передать тоску по родине, эту, говоря словами Цветаевой,
"давно разоблаченную мороку" более ненавязчивым и не рвущим-
страсти-на-части способом, чем в этом стихотворении. Искрен-

ности и подлинности переживания в этих строках, как бы говорящих о главном косвенно и вскользь, в тысячу раз больше, чем у многих поэтов русского зарубежья, кричащих о своей ностальгии в лоб. Соразмерны они лишь с цветаевскими: "Но если по дороге -- куст /Встает, особенно -- рябина..." И дело здесь, конечно, не в самом чувстве (не в обиду задетым поэтам), а в мастерстве его выражения, при котором ленинградские аркады, колоннады, чугунные пугала и даже толпа, осаждающая трамвайный угол, преобретают сентиментальную ценность и становятся положительными деталями города детства и юности, города первых чувств и первых разочарований, города, в который возврата нет, ибо нельзя войти в одну воду дважды.

Мы уже отмечали ранее новаторство Бродского в употреблении составной рифмы, секрет действенности и естественности которой состоит в том, что она не коренная, а союзная и предложная. Можно смело сказать, что до Бродского такие рифмы не употреблялись, за крайне редким исключением случайного порядка. Тому объяснение в следующем.

Для русской поэзии весьма характерно явление совпадения строки и синтаксически законченного высказывания:

    Я помню чудное мгновенье:
    Передо мной явилась ты,
    Как мимолетное виденье,
    Как гений чистой красоты. 155

Такое явление вызывается ориентацией поэзии на песенный лад: в песне конец строки должен совпадать с концом музыкальной фразы -- зашагивание в другую строку ломает мело-

дию, и не только первой фразы, но и второй, ибо конец зашагивания требует обязательной паузы. По этому же закону песенного лада все придаточные предложения, как и сложно-сочи-
ненные, должны иметь союз в начале строки, содержащей данное предложение:

И коварнее северной ночи,
И хмельней золотого аи,
И любови цыганской короче
Были страшные ласки твои...
(Блок)[156]

Я с тобой не стану пить вино,
Оттого что ты мальчишка озорной.
(Ахматова)[157]

Но будь к оружию готов:
Целует девку -- Иванов!
(Заболоцкий)[158]

Таких примеров можно привести сколько угодно. В силу
вышеизложенного закона песенного благозвучия сочинительные
и подчинительные союзы почти никогда не заканчивали строку
и, следовательно, никогда не рифмовались. Я думаю, что новаторство Бродского в первую очередь обусловлено именно его
решением использовать союзы в рифме -- новаторство, которое
волей-неволей потянуло за собой и зашагивание. Другими словами, не сдвиг союза и решение писать анжамбеманами вызвало
употребление составной рифмы с союзом, но рифма с союзом необходимо навязывала употребление анжамбемана:

Даже кукушки в ночи звучание
трогает мало -- пусть жизнь оболгана
или оправдана им надолго, но
старение есть отрастание органа
слуха, рассчитанного на молчание.
("1972 год")

Подобным же образом новаторское для русской поэзии
привлечение в составную рифму и всех других мелких служеб-
ных слов (предлоги, частицы) вызвало новаторство рассечения
доселе нерассекаемых сочетаний:

> Солнечный луч, разбившийся о дворец, о
> купол собора, в котором лежит Лоренцо
>   ("Декабрь во Флоренции")[160]

> ...   Пот катится по лицу.
> Фонари в конце улицы, точно пуговицы у
> расстегнутой на груди рубашки.
>   ("Колыбельная Трескового Мыса")[161]

В стихотворении "Декабрь во Флоренции" решение рифмо-
вать такие сочетания как "пар, но -- попарно", "взор от --
ворот", "фонари и -- Синьории", "века на -- вулкана -- кула-
ка, но", "черны ли -- починили", "дворец о -- Лоренцо", "двери -- две ли", "ни вниз, ни -- дороговизне", "зеркала. То --
злато" и "устами -- к листам. И" не могли не вызвать качественно нового контекста, невозможного при соблюдении правил
старой поэтики. Сочетания такого рода даже если и приходи-
ли поэтам в голову, немедленно отклонялись как неблагозвуч-
ные. Новаторство Бродского опровергает подобную точку зрения и открывает перед русской поэзией новый неисчерпаемый
ресурс рифм. Забавно, что мысль употреблять в рифму союзы
пришла в голову еще Пушкину, которому казалось, что классические рифменные возможности уже почти исчерпаны:

> Отныне в рифмы буду брать глаголы.

III

> Не стану их надменно браковать,

Как рекрутов, добившихся увечья,
Иль как коней, за их плохую стать, --
А подбирать <u>союзы</u> да наречья;
Из мелкой сволочи вербую рать.
Мне рифмы нужны; все готов сберечь я,
Хоть весь словарь; что слог, то и солдат --
Все годны в строй: у нас ведь не парад.
                    ("Домик в Коломне")[162]

Однако, Пушкин союзы в рифме так никогда и не употре-

бил. "Мелкой сволочи" пришлось ждать почти полтора века

прежде чем ее согласились "завербовать".

II. ТЕМЫ И ВАРИАЦИИ

1. Понятие лейтмотивности

Почти каждое стихотворение Бродского помимо своей уникальной темы характеризуется некоторым варьирующимся набором доминантных тем поэта, которые мы назовем лейтмотивными. В каждом данном стихотворении присутствуют лишь несколько из таких тем, входящих между собой в особые сложные семантические отношения, тем не менее, на уровне творчества Бродского почти все лейтмотивные темы легко выделяемы и могут быть представлены следующим более или менее постоянным набором:

1) Тема болезни

2) Тема старения

3) Тема смерти

4) Тема Ада и Рая

5) Тема Бога и человека

6) Тема Времени и Пространства

7) Тема Ничто (Небытия)

8) Тема разлуки и одиночества

9) Тема свободы

10) Тема империи

11) Тема части речи (творчества)

12) Тема человека и вещи

В свою очередь каждая лейтмотивная тема может разбиваться внутри себя на более мелкие подтемы, являющиеся ее непосредственными составляющими. Лейтмотивные темы легко выделить благодаря их повторяемости в различных текстах, но далеко не легко анализировать, ибо каждый раз они представлены в необычной спайке, характерной лишь для данного стихотворения и вырывание их из контекста автоматически огрубляет и обедняет их неповторимый смысл. К тому же все эти темы имеют ярковыраженный метафизический характер, что побуждает критика попытаться искусственным образом выделить в чистом виде философию поэта -- дело в большинстве случаев плохо осуществимое из-за самой сути его: попытка во что бы то ни стало поставить знак равенства между поэзией и философией. В конкретном случае дело усугубляется зачастую невозможностью расчленить спайку на составляющие так, чтобы, разбирая одно, не задеть другое: в большинстве случаев у Бродского одна лейтмотивная тема переливается в другую и влечет за собой третью, так что в конечном счете в чем-то семантически разнится с подобной же мыслью из другого стихотворения. Сознавая всю сложность анализа как лейтмотивных тем, так и философских посылок, мы все же попытаемся в самых общих чертах рассмотреть и то и другое, заранее отдавая себе отчет в поверхностности и схематичности подобных операций.

2. Отчуждение

Метафизическая атмосфера стихов Бродского некоторыми
чертами близка кругу тем и идей, представленных в философских и философско-литературных учениях философов-экзистен-
циалистов: Кьеркегора, Хайдеггера, Ясперса, Марселя, Сартра, Камю, а из русских -- Бердяева и Шестова. Как ни заман-
чива идея рассмотреть поэзию Бродского как иллюстративный
материал к посылкам того или иного экзистенциалиста, мне придется от нее решительно отказаться. На это есть несколько
веских причин.

Во-первых, сам экзистенциализм не есть сколько-нибудь
стройная философия, а скорее конгломерат разных, порой противоречивых, идей и мнений. Даже пренебрегая разницей между теистическим и атеистическим экзистенциализмом мы все-таки не сможем привести к синтезу разные (порой внутренне довольно стройные) учения экзистенциалистов, некоторые из которых активно отмежевывались от причисления их к данной груп-
пе. Описание же даже самое краткое идей каждого из филосо-
фов кроме того, что оно увело бы критика и читателя далеко
за рамки работы о поэзии, молчаливо предполагало бы знаком-
ство Бродского со всеми разбираемыми трактатами -- посылка
при всей широте знаний поэта все-таки гипотетическая.

Во-вторых, такой подход к проблеме выставлял бы поэта

только лишь как пассивного "усвоителя" положений той или
иной системы, тем самым косвенно отрицая способность его
внести новое содержание в известную концепцию, то есть низ-
водил бы оригинального мыслителя до уровня попугая-иллюстра-
тора, выражающего в стихотворной форме то, что и без того
давно известно из философии.

В-третьих, рассуждения о "верном" или "искаженном"
представлении данной экзистенциалистической идеи того или
иного философа неизбежно уводили бы критика и читателя от
вопроса насколько Бродский оригинален как поэт к вопросу насколько он прилежен как ученик -- то есть в область чуждую
данному исследованию.

В-четвертых, сама работа такого рода даже при игнори-
ровании вопроса о ее порочности заставила бы критика высту-
пать в качестве детектива, разыскивающего в работах экзистенциалистов мысли близкие той или иной строке поэтического текста. При всей тщательности такого исследования литературо-
ведческая его ценность мало бы выиграла от подобного подхода, неизменно предполагавшего бы живой средой -- философию,
а поэзию лишь рыбкой, выуженной из нее. Уклонившись от всего перечисленного по причинам всего вышесказанного мы все-
таки будем иметь в виду философию экзистенциализма как некую близкую среду поэтике Бродского и поэтому будем ориенти-
роваться на читателя хотя бы в общих положениях знакомого с
этой средой.

С точки зрения экзистенциализма, отчуждение является атрибутом человеческого существования, которое в отличие от всякого иного возможного бытия является самосознающим, само себя переживающим бытием. Человеческое бытие немыслимо без сознания, поэтому один из самых важных вопросов философии, согласно Хайдеггеру, есть "вопрошание о смысле бытия". Почти все философы-экзистенциалисты говорят о двух аспектах человеческого существования -- "бытии в мире" и "бытии в себе" (экзистенция собственно). Человеческое Я всегда "заброшено" куда-то, находится в том, что не есть Я. Эта "заброшенность", однако, не есть следствие каких-либо злых сил, -- оно закономерно вытекает из самой природы человеческого бытия, дано a priori. Человеческое Я все время пребывает в чуждой среде, которая засасывает и обезличивает его. Это и есть ситуация отчуждения от своей "самости", "неподлинное существование" человека в мире, которую Хайдеггер называет "das Man" (безличное). В "безличном" человек подвержен стадному чувству, он живет в массе, в которой думают (man denkt) и делают (man tut) так, как думают и делают все другие. По мнению Хайдеггера, пребывание друг возле друга полностью растворяет существование личности в способе бытия "других" -- сфере, где господствует диктатура "безличного": "Мы наслаждаемся и развлекаемся так, как наслаждаются другие; мы читаем, смотрим и высказываем суждения о литературе и искусстве так, как смотрят и высказывают суждения другие; но мы сторонимся "толпы" так, как сторонятся другие; мы возмущаемся тем, чем возмущаются другие".[1] Понятия необходимости, нормативности, принятости и престижности затемняют собственные, не зависящие от других, понятия и вкусы. "Подлинное существование" или "экзистенция" достигается лишь при умении абстрагировать себя от внешней среды, остаться наедине с самим собой.

К тому же, по мнению Хайдеггера, бытие в мире неподлинно еще и в силу лгущего общественного сознания, прикрывающего истинные враждебные отношения людей всевозможными фальшивыми альтруистическими и гуманистическими фразами: "Сосуществование в "безличном" вовсе не является замкнутым, равнодушным бытием друг возле друга, а напряженной подозрительной слежкой друг за другом, тайным взаимным подслушиванием. Под маской друг для друга скрывается друг против друга."[2]

Абстрагируясь от массы, человек приходит к "подлинному существованию", вовлекается в сферу "в-себе-бытия", становится свободным от мнения "других" и приобретает способность понять проблему существования человека. Однако, абстрагироваться от массы для личности еще недостаточно, чтобы прийти к "в-себе-бытию". Он должен еще и абстрагироваться от себя. При господстве "безличного" в обществе происходит постоянная деперсонификация личности, человеческое экзистенциальное Я заменяется маской, общественной ролью. Каждый человек с этой точки зрения не живет в обществе, а играет ка-

кую-то роль, например, роль хорошего руководителя, прекрасного семьянина, целомудренной девушки, борца за свободу и
т.п. Человек, понимающий все это, старается высвободиться
из-под диктата роли. Социальное отчуждение неизбежно перерастает в самоотчуждение, в поисках себя глубинного человек
кажется все более чуждым себе самому.

   В одном из ранних стихотворений Бродского отражен такой процесс отчуждения сначала от социальной среды, а потом
от себя самого:

              Сумев отгородиться от людей,
              я от себя хочу отгородиться.
              Не изгородь из тесаных жердей,
              а зеркало тут больше пригодится.
              Я озираю хмурые черты,
              щетину, бугорки на подбородке.
              Трельяж для разводящейся четы, 3
              пожалуй, лучший вид перегородки.

   Разводящаяся чета -- бытие поэта в себе и его бытие в
мире -- могла бы, конечно, быть истолкована в традиционном
ключе "двойничества" (и у́же: поэт и его двойник в зеркале,
см. Блока, Ходасевича, Есенина) если бы не начальные строки
об "отгораживании" себя от людей и себя от себя самого, обна-
руживающие новое, несвойственное русским поэтам экзистенциальное сознание. Конечно нужно учитывать и то, что личная
судьба Бродского во многом способствовала экзистенциалистско-
му пониманию окружающего его социального мира как враждебной
стихии; тема "ухода от людей" характерна для его стихотворений периода ссылки в Архангельскую область. В одном из них
под заглавием "К северному краю"[4] поэт ассоциирует себя то с
"глухарем", ничего не слышащим, отрешившимся от мира, то с

затравленным "лисом", боящимся выйти из своей норы. В этих

строках поэт как бы дает обет северному краю, что он будет

себя вести хорошо, и северному краю за него не влетит от влас-

тей:

> Нет, не волнуйся зря:
> я превращусь в глухаря,
> и, как перья, на крылья мне лягут
> листья календаря.
> Или спрячусь, как лис,
> от человеческих лиц,
> от собачьего хора,
> от двуствольных глазниц.

И концевая строфа:

> Не перечь, не порочь.
> Новых гроз не пророчь.
> Оглянись если сможешь --
> так и уходят прочь:
> идут сквозь толпу людей,
> потом вдоль рек и полей,
> потом сквозь леса и горы,
> все быстрей, все быстрей.

В зрелый период творчества обезличивание человека об-

ществом часто звучит в стихах Бродского; особенно раздража-

ют его те теории (в частности марксизм), которые рассматри-

вают человека не в этическом, а в сугубо экономическом пла-

не. Критике марксизма посвящена большая часть стихотворе-

ния "Речь о пролитом молоке". Тема отчуждения (тема "посто-

роннего") поднимается в таких стихотворениях как "Песня не-

винности, она же -- опыта", а также в стихах жанра "туристи-

ческого комментария". Интересно, что Эрих Фромм усматрива-

ет яркий пример состояния отчужденности в туристах, созер-

цающих действительность, в которой для них нет ничего род-

ного: "Турист с его фотоаппаратом -- это внешний символ от-
чужденного отношения к миру."[5]

В поэтическом плане тема отчуждения поэта от общества
имеет свою давнюю традицию в оппозиции "поэт и толпа", однако
в трактовке их есть существенная разница. Тема "поэт и
толпа" всегда ставит поэта над толпой, подчеркивает его ис-
ключительность и избранность, в то время как в экзистенциа-
лизме упор делается на обретение свободы личностью путем от-
деления от толпы, любой личностью, независимо от ее талан-
тов и способностей. Само собой разумеется также, что самоотчуждение -- понятие качественно новое и вряд ли свойствен-
ное традиционной романтической трактовке темы "поэта и толпы" в целом.

3. Ад и Рай (Нечто и Ничто)

В одной из своих статей о поэзии Иннокентий Анненский заметил, что у поэтов в основном три темы: или они пишут о страдании, или о смерти, или о красоте.[6]

Смерть -- одна из центральных тем поэзии Бродского, включающая множество подтем: страх смерти и его преодоление, смерть как небытие, смерть как переход в Ничто, размышления о возможности/невозможности жизни за пределами смерти, поэтическое отношение к смерти, поэтическое преодоление смерти, смерть как победа вечного и всепоглощающего времени, борьба с этим временем, слово/поэзия как форма борьбы со временем/смертью или выход в бессмертие, христианское понимание смерти и его приятие/неприятие поэтом, размышления о цели Творца, о понятиях Рай и Ад, о возможности встречи за пределами жизни, о доверии к судьбе и ее "ножницам" и т.д.

Если уместно говорить о философии в поэзии вообще, то Бродский более философ, чем любой русский поэт, и не только потому, что ему удается вырваться из замкнутого круга традиционно годных для поэзии философских тем, ни тем более потому, что он выдвигает какое-то новое неслыханно стройное учение о жизни и смерти. Бродский -- философ потому, что он вовлекает читателя в серьезные размышления о мире, о жизни, о смерти, о времени, о пространстве. В философских размышлениях поэта читатель чувствует громадную искренность и животрепещущесть высказываемого, это не игра (даже самая тонкая), не поза (даже самая искренняя), не поэтическое самолюбование (даже самое невинное).

Самое главное в поэтической философии Бродского -- универсальность ее точки зрения, идущей от универсальности как принципа художественной позиции в его зрелых вещах, где он высказывается не только "от лирического себя" с его накалом личных, необычных, годных только для автора эзотерических чувств и ощущений, -- особенного, но от человека вообще, любого, нас, всех -- общего. Этот универсализм точки зрения (отчасти унаследованный от поэтов-метафизиков) не следует путать с универсальностью поэтической философии -- поэт не может быть последовательным философом именно в силу своего поэтического дара, поэзия -- иллюзия, кружево, не способное и не призванное дать или отразить или выразить целостное, рациональное, последовательное и потому слишком искусственное для поэзии миропонимание. Поэт не Кант и не Шопенгауэр, целостное не для него; кружево в применении к поэзии -- не результат работы, а само действие от глагола "кружить" и по типу "варево", "печево". Поэт кружит по своим темам, прикидывает так и эдак, мучается, страдает, иронизирует, насмешничает, хвалит, хулит, отвергает -- старается не построить, а понять, не взойти, а проникнуть, "дойти до самой сути". В философии научной может быть верное/неверное, стройное/не-

стройное, выдерживающее или не выдерживающее критики миропонимание, в философии поэтической -- все верно, при условии искренности поэта -- качества в отсутствии которого не
упрекнешь Бродского. Не годны для поэтов и ярлыки "материалист" и "идеалист", ибо каждый поэт даже "материалист" --
всегда в конечном счете идеалист (иначе: не-поэт) и всегда
эклектик. Поэт кружит и прикидывает, философ -- строит и
идет к цели. Но правда поэтическая выше правды философской,
ибо последующая теория ее не сменяет и не отменяет.

Бродский, живя в советском обществе, был воспитан безбожником и материалистом, живя в мире поэзии (по преимущест-
ву христианской), -- идеалистом и христианином. Ни то, ни
другое не было принято им на веру. Он из вечносомневающих-
ся, из ищущих, а не успокоившихся.

В одном из юношеских стихотворений Бродский метафорически определил жизнь как холмы, а смерть как равнину, то
есть противопоставил неровное, вьющееся, живое, тянущееся и
тянущее вверх, динамическое -- плоскому, неподвижному, ров-
ному, мертвому -- статике. Отсюда идет его поздняя оппози-
ция: не жизнь и смерть, а бытие и небытие, переход в Ничто.
Эти оппозиции -- разные. Не смерть как физиологический процесс со всеми ее страданиями страшна, а то, что дальше. То
есть поражает не мысль "он умер", а "его нет". Первое не
требует комментариев, второе вызывает вопрос "а где он", вопрос "Куда Мещерский ты сокрылся?" Державина.

Готовая гипотеза о существовании Рая и Ада не удовлетворяет Бродского, но парадоксально то, что не Ад ему не по
вкусу, а Рай, именно Рай, тот самый конечный пункт отдыха
для измученных на земле душ, который так привлекал воображение многих верующих. Именно конечность, тупиковость Рая претит Бродскому, которому всегда нужно наличие в реальности
"за" -- возможности выйти за пределы -- т.е., свобода. А
свобода и Рай -- не совместимы, ибо Рай, как это ни парадоксально, -- еще одно общество, построенное на утопических
принципах полного равенства во всем, то есть общество, иско-
ренившее индивидуальность и оригинальность. В Раю понятие
равенства достигает своего абсолюта -- там каждый во всем
подобен каждому, это место, "где все мы /души всего лишь,
бесплотны, немы, /то есть где все, -- мудрецы, придурки, --
/все на одно мы лицо, как тюрки" ("Памяти Т.Б."), то есть,
иными словами, Рай является символом смерти уникальной человеческой индивидуальности во всех ее нестандартных проявле-
ниях. В Раю нечего делать, не о чем беспокоиться, нечего
желать, некого любить, не с кем общаться, не к кому стремить-
ся, некуда спешить. Человек в Раю перестает быть синтезом
времени и пространства, ибо время умирает в нем, жизнь в Раю --
безвременье: "часы, чтоб в раю уют /не нарушать, не бьют".
Таким образом Рай предстает апофеозом бессмысленного и не-
осознанного существования, а человек, лишенный сознания уже
не человек.

Значит Рай -- все-таки клетка, пусть даже самая наи-
раззолоченнейшая. Но если Рай -- это конец, тупик, за ним
Ничто, то и само существование в Раю -- ничто, не жизнь, не
холмы, а равнина, смерть. Недостаточность понятия "Рай" делает его неприемлемым для Бродского, а вместе с этим и не-
нужным его антипод -- Ад. Ничто, куда все мы уйдем, много
сложнее и трудней представимо, чем Ад или Рай.

Неприемлемыми эти два места становятся и непонятностью
их взаимоотношений со Временем. Время -- вечно, если Рай и
Ад -- материя -- они не вечны, они смертны, если не материя,
то что, и каковы их отношения со Временем? Если они вне времени, то они вне жизни -- не существуют. Так Ничто заменя-
ет понятия Рая и Ада, а вместе с ними и все традиционные
представления о них. У Бродского уже нет надежды на встре-
чу родных и любимых ни в одном из этих мест:

            Тем верней расстаемся,
            что имеем в виду,
            что в Раю не сойдемся,
            не столкнемся в Аду.
                           ("Строфы") [7]

            ... долой ходули --
            до несвиданья в Раю, в Аду ли.
                           ("Памяти Т.Б.") [8]

Любопытно, что Ад не так неприятен и страшен для Бродского, как Ничто, ибо Ад -- это отражение форм земной человеческой жизни, и какой бы жизнь в Аду ни была -- это все-
таки жизнь со всеми ее чувствами, переживаниями и страданиями. Ничто же -- пустота, небытие, жизнь со знаком минус:

Идет четверг. Я верю в пустоту.
В ней, как в Аду, но более херово.
      ("Похороны Бобо")[9]

Мы боимся смерти, посмертной казни.
Нам знаком при жизни предмет боязни:
пустота вероятней и хуже ада.
     Мы не знаем, кому нам сказать "не надо".
     ("Песня невинности, она же -- опыта")[10]

Отвергая понятия "Рай" и "Ад", Бродский, однако, не становится ни материалистом, ни безбожником, он лишь сомневается в божественном происхождении этих понятий. Вероятно, их придумали люди, и дело гораздо сложнее. Существование Бога же как такового -- Творца всего -- Бродский не подвергает сомнению, как не подвергает сомнению и этические посылки христианской веры. О Бродском даже можно говорить как о христианском поэте, хотя он и не принимает некоторые положения христианства, в частности, веры в жизнь после смерти, которая помогает преодолеть страх смерти на земле. Об этом преодолении страха смерти, тем не менее, написано одно из блестящих стихотворений Бродского "Сретенье", о мыслях и чувствах Святого Симеона, для которого весть о рождении Христа была одновременно вестью о его собственной смерти, то есть прекрасное и ужасное сочеталось в одном моменте. Но в конечном счете прекрасное помогло Симеону справится с неминуемым ужасом:

Он шел умирать. И не в уличный гул
он, дверь отворивши руками, шагнул,
но в глухонемые владения смерти.
    Он шел по пространству, лишенному тверди,

он слышал, что время утратило звук.
И образ младенца с сияньем вокруг
пушистого темени смертной тропою
        душа Симеона несла пред собою,

как некий светильник, в ту черную тьму,
в которой дотоле еще никому
дорогу себе озарять не случалось.
        Светильник светил, и тропа расширялась. [11]

Симеону смерть оказалась не страшна, но у Бродского
нет такой веры. Страх смерти этим не победить. Разум же,
отвергая понятия Рая и Ада и относясь с недоверием к жизни
после смерти, только усиливает этот страх.

4. Смерть

Страх смерти возникает еще и потому, что смерть -- это как бы сугубо частное дело, касающееся только одного человека -- себя:

> Ведь если можно с кем-то жизнь делить,
> то кто же с нами нашу смерть разделит?
> ("Большая элегия") [12]

В этом вопросе очень трудно прийти от частного к общему и удовлетвориться той мыслью, что подобная судьба уготована нам всем -- всему человечеству. Уместно здесь будет вспомнить рассуждения Ивана Ильича у Толстого, пожалуй, единственного русского писателя, пытавшегося проблему смерти глубоко и философски осмыслить -- Иван Ильич, размышляя над силлогизмом: "Кай -- человек, люди смертны, следовательно Кай -- смертен", никак не может им удовлетвориться, ибо не способен думать о себе, как об абстрактном Кае, поэтому возможность его, Ивана Ильича, а не Кая, смерти так ужасает его. Кай-абстракция никак не вмещает Ивана Ильича-индивидуума: "Разве для Кая был тот запах кожаного полосками мячика, который любил Ваня? Разве Кай так был влюблен?" [13] Те же мысли об индивидуальной смерти преследовали и самого Толстого:

"Я как будто жил-жил, шел-шел и пришел к пропасти и ясно увидал, что впереди ничего нет, кроме погибели. И остановиться нельзя, и назад нельзя, и закрыть глаза нельзя, что-

бы не видать, что ничего нет впереди, кроме обмана жизни и
счастья и настоящих страданий и настоящей смерти -- полного
уничтожения."

("Исповедь")[14]

В отличие от Толстого и его героев Бродский рано приходит от личного страха смерти к выражению общечеловеческого -- к универсализму точки зрения на смерть, к ассоциации
себя с Каем-абстракцией (что не обязательно ослабляет страх
личной смерти). "Я" часто у Бродского звучит как "мы" или
с "мы" соединяется. Уже в "Холмах", отвергая традиционный
образ смерти (в духе державинского: "Как молнией косою бле-
щет /И дни мои как злак сечет"), поэт приходит именно к такой надличностной трактовке темы:

> Смерть -- не скелет кошмарный
> с длинной косой в росе.
> Смерть -- это тот кустарник,
> в котором стоим мы все.[15]

Нова для русской поэзии в "Холмах" и идея того, что
жизнь содержит в себе смерть, не существует без нее, что
жизнь есть одновременно и умирание. Я говорю здесь лишь о
новизне поэтического восприятия и выражения, а не об абсолютной оригинальности этой мысли как таковой. Для русской
поэзии в целом характерна классическая греческая концепция:
жизнь ничего общего со смертью не имеет, не содержит ее элементов, но рано или поздно соприкасается с ней в определенной точке, и это соприкосновение является ее концом -- Пар-
ка внезапно обрывает нить жизни. Поэтому чужая смерть для

русского поэта -- всегда неожиданность, а мысль о том, что

мы все умрем и нас забудут, порождает элегии и стихи в фор-

ме плачей. Другой темой в русской поэзии является вознесе-

ние души в рай, соединение с Богом, жизнь после смерти, т.е.

отношение к смерти религиозное в философском ключе Христи-

анства или идей близких к нему (см. у Державина "Лебедь").

Это отношение к смерти по существу есть способ преодо-

ления страха конечности личного бытия и в философском плане

является куда более интересным и оригинальным способом реше-

ния проблемы, чем в стандартных "унылых элегиях" русских по-

этов о неизбежной смерти. Преодоление страха смерти по-сво-

ему звучит в философской пантеистической лирике Тютчева, по-

нимавшего смерть как слияние с "родимым хаосом", которое ему

не только не страшно, но иногда даже желательно:

> Чувства мглой самозабвенья
> Переполни через край!
> Дай вкусить уничтоженья,
> С миром дремлющим смешай! [16]

В другом его стихотворении "родимый хаос" назван "безд-

ной роковой", но мотив слияния с этой бездной трактуется без

изменений. Стихотворение это построено как развернутое сопо-

ставительное сравнение "человеческого Я" с весенней льдиной,

плывущей к слиянию со стихией:

> Смотри, как на речном просторе,
> По склону вновь оживших вод,
> Во всеобъемлющее море
> За льдиной льдина вслед плывет.

> На солнце ль радужно блистая,
> Иль ночью в поздней темноте,
> Но все, неизбежимо тая,
> Они плывут к одной мете.
>
> Все вместе -- малые, большие,
> Утратив прежний образ свой,
> Все -- безразличны, как стихия, --
> Сольются с бездной роковой!..
>
> О нашей мысли обольщенье,
> Ты, человеческое Я,
> Не таково ль твое значенье,
> Не такова ль судьба твоя?[17]

Не менее оригинально тема борьбы со страхом смерти поставлена у Фета, который мыслил о человеке не в понятиях души и тела, а представлял его как вместилище вечного, божественного огня. Не Бог как таковой непостижим для Фета, а наличие этого неумирающего огня в человеке:

> Не тем, господь, могуч, непостижим
> Ты пред моим мятущимся сознаньем,
> Что в звездный день твой светлый серафим
> Громадный шар зажег над мирозданьем.
>
> И мертвецу с пылающим лицом
> Он повелел блюсти твои законы:
> Все пробуждать живительным лучом,
> Храня свой пыл столетий миллионы.
>
> Нет, ты могуч и мне непостижим
> Тем, что я сам, бессильный и мгновенный,
> Ношу в груди, как оный серафим,
> Огонь сильней и ярче всей вселенной.
>
> Меж тем как я, добыча суеты,
> Игралище ея непостоянства, --
> Во мне он вечен, вездесущ, как ты,
> Ни времени не знает, ни пространства.[18]

Смещение акцентов с проблемы жизни и смерти на проблему существования "огня" собственно отменяет первую как тако-

214

вую, хотя сожаления поэта о неминуемом уходе этого огня из
земной жизни придают его размышлениям элегический оттенок:

> Не жизни жаль с томительным дыханьем,
> Что жизнь и смерть? А жаль того огня,
> Что просиял над целым мирозданьем,
> И в ночь идет, и плачет уходя.
> ("А.Л. Б--ой")[19]

Обычной позицией по отношению к смерти у большинства
людей является алогичное игнорирование самого ее существования для данной личности, она постоянно вытесняется их созна-
нием, рассматривается как объективный феномен, из которого
своя уникальная смерть комическим образом исключается. Подобное отмахивание от проблемы находим у эпикурейцев, а в
русской литературе у белозубого лицеиста Пушкина:

> Не пугай нас, милый друг,
> Гроба близким новосельем:
> Право, нам таким бездельем
> Заниматься недосуг.
> ("Кривцову")[20]

Вообще Пушкин кажется в русской поэзии наиболее полным воплощением душевного и телесного здоровья, духовной не-
изломанности, эмоциональной неиздерганности. В поэзии же
Бродского эпикурейские мотивы уюта, лени, дружбы, веселого
застолья, легкой счастливой любви, наслаждения благами мира
и физическим здоровьем начисто отсутствуют.

Размышления о смерти более характерны для западноевропейской медитативной поэзии, построенной на принципах традиционного средневекового подхода к смерти -- Ars Moriendi.[21]
Человек должен думать и размышлять о смерти заранее, чтобы

не прийти к ней врасплох. Есть лишь два способа медитации о смерти: или мысленно следовать за телом в землю, представляя, что с ним там будет происходить, или следовать за душой в небеса и размышлять о формах и сути новой жизни. Первое -- тривиально, так как известно человечеству в результате опыта, второе -- оригинально, ибо знания о жизни духа утаены от человечества, и каждый может позволить себе полную свободу в ее трактовке. Второе как оптимистический взгляд на будущее и рекомендуется средневековыми теологами, и именно через этот второй способ медитации человек постепенно побеждает страх смерти, являющийся естественной чувственной реакцией его органической сути. Отсюда и прославление Бога, к которому приходят в результате такой медитации.

Медитация о смерти в данном плане очень характерна для английских поэтов-метафизиков, в частности Донна, Герберта и Трахерна. Это вовсе не означает, что первый способ не занимает их и не встречается в их поэзии, наоборот, о смерти тела говорится и зачастую в самых неприкрашенных терминах, но поэт всегда выводит нас на светлую дорогу второго подхода:

> And gluttonous death, will instantly unjoynt
> My body and soule, and I shall sleepe a space,
> But my ever-waking part shall see that face,
> Whose feare already shakes my every joynt.
> Donne ("Holy Sonnets", 6)[22]

У Герберта мы обнаруживаем даже переосмысление образа смерти -- из мешка уродливых костей она преображается в красавицу, которую нужно ждать, а не бояться (речь здесь идет

о Христианском понимании смерти в противовес до-Христианско-

му):

> Death, thou wast once an uncouth hideous thing,
> > Nothing but bones,
> > The sad effect of sadder grones:
> Thy mouth was open, but thou couldst not sing.
>
> . . . .
>
> But since our Saviours death did put some bloud
> > Into thy face;
> > Thou art grown fair and full of grace,
> Much in request, much sought for as a good.
>
> For we do now behold thee gay and glad,
> > As at dooms-day;
> > When souls shall wear their new aray,
> And all thy bones with beautie shall be clad.
> > > > (Herbert, "Death")[23]

В качестве контраста к медитативной поэзии такого типа

можно упомянуть кладбищенскую тематику западноевропейских

романтиков с их натуралистическими страшно-аж-жуть описани-

ями костей и червей, в русской поэзии реализовавшуюся, на-

пример, у Лермонтова:

> И захотелося мне в гроб проникнуть,
> И я сошел в темницу, длинный гроб,
> Где гнил мой труп, и там остался я.
> Здесь кость была уже видна, здесь мясо
> Кусками синее висело, жилы там
> Я примечал с засохшею в них кровью.
> С отчаяньем сидел я и взирал,
> Как быстро насекомые роились
> И жадно поедали пищу смерти.
> Червяк то выползал из впадин глаз,
> То вновь скрывался в безобразный череп.
> > > > ("Смерть")[24]

В поэзии 20-ого века тема смерти является центральной

в творчестве Рильке и Унамуно. Трактовка ее у обоих поэтов

очень оригинальна, но крайне далека от философских позиций
Бродского. Эти три поэта скорее сходны по интенсивности
размышлений о смерти и по их особенному интересу к этой теме, нежели по способу ее разрешения. Впрочем, не исключена
возможность влияния Рильке (прямо или косвенно) на "Холмы"
Бродского именно в подходе к смерти, как элементу, уже заложенному в жизни:

> Смерть -- это наши силы,
> наши труды и пот.
> Смерть -- это наши жилы,
> наша душа и плоть.
>
>   ("Холмы")[25]

Та же мысль выражена довольно ясно и у Унамуно ("La
vida es un morir continuo"),[26] но вряд ли Бродский в начале
60-х годов был знаком с его поэзией.

От балладно-романтического $\frac{\text{Гете}}{\text{Жуко}}$вского представления
смерти то как черного коня, ищущего себе всадника среди лю-
дей ("Был черный небосвод..."), то как самого всадника ("Ты
поскачешь во мраке..."), то жизни и смерти как двух всадни-
ков, скачущих один за другим, олицетворяющих тоску и покой
("Под вечер он видит..."), Бродский переходит к трактовке
темы в Христианских понятиях тела и души, но к Богу как английские метафизики пока не приходит, отсюда трагичность мысли о разъединенности души и тела, несвойственная метафизикам.
Так в "Большой элегии Джону Донну" душа, отлетевшая от тела,
не радуется скорому предстоящему соединению с Богом, а плачет:

> Ну, вот я плачу, плачу, нет пути.
> Вернуться суждено мне в эти камни.
> Нельзя придти туда мне во плоти.
> Лишь мертвой суждено взлететь туда мне. [27]

Любопытно отметить как углубляется философская позиция Бродского от метафизических категорий жизни и смерти как холмов и равнин, до метафизического осмысления этой же пары как времени и пространства. Есть здесь и другое интересное звено: если пространство -- вещь, а время -- мысль о вещи, то зная, что вещь не спасти от гибели, может быть стоит задуматься как сохранить мысли о вещах и таким образом "приколоть" Время или, что то же, продлить его?

Проблема времени и пространства или времени и материи не нова ни в русской, ни в любой другой поэтической традиции. Но поворот ее у Бродского оригинален и не столько потому, что он оригинальный поэт, но и оригинальный мыслитель, ибо такой зависимости между этими понятиями до Бродского не было. Было изначальное всепожирающее время -- Хронос, пришедшее из эпоса древней Греции, были последние стихи Державина, философски наиболее мощные на эту тему в русской литературе:

> Река времен в своем стремленьи
> Уносит все дела людей
> И топит в пропасти забвенья
> Народы, царства и царей.
> А если что и остается
> Чрез звуки лиры и трубы,
> То вечности жерлом пожрется
> И общей не уйдет судьбы! [28]

Были интересные стихи Хлебникова, написанные под несомненным обаянием вышеприведенных строчек, где он очень близ-

ко подошел к ассоциации, ставшей центральной у Бродского --
рыбы-люди:

> Годы, люди и народы
> Убегают навсегда,
> Как текучая вода.
> В гибком зеркале природы
> Звезды -- невод, рыбы -- мы,
> Боги -- призраки у тьмы.[29]

Но это не была постановка проблемы времени во взаимоотношении с пространством и не явилась эта тема центральной
у этих поэтов, как у Бродского. Вообще метафизическое тол-
кование смерти и жизни -- вещь в русской поэзии редкая и
кроме Тютчева и Баратынского примеров не привести, хотя о
смерти писали все, ибо выражали в основном чувственное отношение к смерти, а не рациональное.

Здесь я никак не занимаюсь оценкой того, что хуже, а
что лучше. Чувственная поэзия достигла своего апогея в русской поэзии -- это неумирающие шедевры, которые я привожу
не для того, чтобы показать, чего в них нет, а лишь для понимания, что именно нового есть в поэзии Бродского. Как писал Мандельштам "никакого "лучше", никакого прогресса в литературе быть не может, просто потому, что нет никакой литературной машины и нет старта, куда нужно скорее других до-
скакать." И далее: "Подобно тому, как существуют две геометрии -- Евклида и Лобачевского, возможны две истории литературы, написанные в двух ключах: одна говорящая только о
приобретениях, другая только об утратах, и обе будут говорить об одном и том же."[30] Для меня особенно важно подчерк-

нуть, что все, что здесь говорится о новаторстве Бродского по сравнению с традиционным, будь то техника стиха или философские концепции, оценивается с точки зрения оригинальности, новизны и необычности, а не с точки зрения какого-либо абсолютного критерия. Все большие поэты были новы и оригинальны, и их разность в конечном счете и является высшей их оценкой. Целью этого исследования и ставится показать непохожесть Бродского.

Итак, тема смерти трактовалась в русской поэзии в основном чувственно, а не метафизически. Не будучи философом по складу своему и не желая быть им, Державин решил вопрос о жизни и смерти в стихотворении "На смерть князя Мещерского" воспеванием примирения, как лучшей мины при плохой игре:

> Жизнь есть небес мгновенный дар,
> Устрой ее себе к покою,
> И с чистою твоей душою
> Благославляй судеб удар. [31]

В менее эпикурейском плане смирение человека перед лицом неумолимой реальности весьма часто выражалось в русской поэзии в различных тематических вариациях от Жуковского:

> Но мы... смотря, как счастье наше тленно,
> Мы жизнь свою дерзнем ли презирать?
> О нет, главу подставивши смиренно,
> Чтоб ношу бед от промысла принять,
> Себя отдав руке неоткровенной
> Не мни Творца, страдалец, вопрошать... [32]

до Есенина:

> Все мы, все мы в этом мире тленны,

> Тихо льется с кленов листьев медь...
> Будь же ты вовек благословенно,
> Что пришло процвесть и умереть.[33]

Бродский если и приходит к оптимистическому взгляду на вещи, то не сразу и через большие сомнения:

> Бей в барабан о своем доверии
> к ножницам, в коих судьба материи
> скрыта. Только размер потери и
> делает смертного равным Богу.
> (Это суждение стоит галочки
> даже в виду обнаженной парочки.)
> Бей в барабан, пока держишь палочки,
> с тенью своей маршируя в ногу!
>   ("1972 год")[34]

Кроме того, этот "оптимизм" основан не на простом решении примириться при отсутствии других выходов из положения, но на мысли о равновеликости человека и Бога по размеру потери. А это уже совсем новая мысль.

Выше, разбирая стихотворение "Бабочка", мы писали, что Бродский в отличие от поэтов-метафизиков не приносит благодарности Богу, а заканчивает стихотворение иначе. Любопытно, что поэт в конце концов приходит к своему апофеозу Бога, но апофеозу сознательному, не взятому на веру, но проверенному на собственном отношении к миру, к апофеозу, путь к которому лежал через сомнение и страдание. Это уже апофеоз другого рода, песня не невинности, но опыта:

> Наклонись, я шепну Тебе на ухо что-то: я
> благодарен за все; за куриный хрящик
> и за стрекот ножниц, уже кроящих
> мне пустоту, раз она -- Твоя.
> Ничего, что черна. Ничего, что в ней
> ни руки, ни лица, ни его овала.

Чем незримей вещь, тем оно верней,
что она когда-то существовала
на земле, и тем больше она -- везде.
Ты был первым, с кем это случилось, правда?
Только то и держится на гвозде,
что не делится без остатка на два.
Я был в Риме. Был залит светом. Так,
как только может мечтать обломок!
На сетчатке моей -- золотой пятак.
Хватит на всю длину потемок.
                    ("Римские элегии")[35]

Однако для того, чтобы прийти к благодарности такого

рода, нужно было сполна открыть секрет борьбы со Временем.

Здесь было много отдано традиции, во всяком случае без от-

талкивания от нее поэт не пришел бы к своему новому.

5. Старение

Тема старения в поэтике Бродского тесно переплетена с темой смерти с одной стороны, и темой времени с другой. Человек как объект биологического существования неотделим от времени, есть его сгусток, тогда как, например, камень или любая "вещь" не имеет внутреннего времени и не зависит от него. Для вещи существует лишь внешнее время, которое к вещи в общем и целом нейтрально, в том смысле, что внешнее время не регулирует ее существования и не определяет его границ. Таким образом, в "жизни" вещи не заключена ее "смерть", "жизнь" и "смерть" вещи -- понятия несоотносимые.

В отличие от вещи человек обладает внутренним временем, вернее, оно обладает человеком. Это внутреннее или биологическое время течет внутри человека, отмеряя его жизнь. Человек в этом смысле уподобляется песочным часам, с той лишь разницей, что часы эти нельзя перевернуть -- они одноразового пользования.

С другой стороны, биологическое существование человека отличается и от всякого другого биологического существования его способностью психологически переживать свое бытие в мире. Животные не знают смерти, потому что они не способны переживать, осознавать конечность своего существования, в силу этого их бытие в мире для них не трагично. Человек же знает, что он умрет, и это знание определяет его страх смерти.

Итак, жизнь человека и его смерть взаимосвязаны и представлены одной временной данностью, каждая единица которой
содержит и жизнь и смерть, ибо жизнь -- это постоянное неумо-
лимое движение к смерти. Человеческая смерть в таком понимании есть результат биологического изменения во времени --
старения, которое можно приравнять к умиранию. Старение --
это материлизующиеся признаки приближающейся смерти, которой
человек страшится. При таком понимании биологического времени и его отношении к внешнему времени человек перестает
быть равным самому себе -- он сейчас состоит из других элементов, чем тогда, в прошлом. Так в стихотворении "То не муза" любимая тогда не равна любимой теперь -- это две разные
экзистенции.

> Горячей ли тебе под сукном шести
> одеял в том садке, где -- Господь прости --
> точно рыба -- воздух, сырой губой
> я хватал что было тогда тобой.[36]

Несмотря на то, что конечность человеческого бытия понимается каждым, переживаться оно начинает каждым по-разному и
в разное время. Вехами переживания становятся или болезни,
или/и очевидные признаки старения как физического, так и пси-
хологического. Однако если смерть легко поддается объективи-
зации, вытеснению из субъективной сферы сознания -- "смерть --
это то, что бывает с другими" -- старение и болезни объекти-
визируются с большим трудом, ибо их черты вполне материальны.
Поэтому старение -- это всегда мое старение, а болезнь -- моя

болезнь. Смерть в таком смысле не переживается, ибо она не имеет длительности. Мысль об отсутствии у смерти длительности выражена у Бродского в спайке с контекстом о самоубийстве как грехе малого порядка. О человеке нужно судить не по тому, как он лишил себя жизни, а по тому, как он жил:

> ...   Годы
> жизни повсюду важней, чем воды,
> рельсы, петля или вскрытие вены:
> все эти вещи почти мгновенны.
>   ("Памяти Т.Б.")[37]

На посылке об отсутствии у смерти длительности, ее мгновенности построен знаменитый силлогизм Эпикура о том, что фактически человек не знает смерти: когда он жив -- ее нет, когда она пришла -- его нет. Все это, конечно, никак не снимает переживания человека своей смерти при жизни. Старение же -- всегда лично и конкретно -- это прежде всего то, что происходит со мной. Личностный аспект болезни и старения отражен в поэзии Бродского в конкретных деталях, присущих не лирическому герою, а самому поэту. Ламентации исходят от конкретного пишущего эти строки Я, а не маски или персоны. Это вовсе не значит, что читатель не подвергает эти ламентации универсализации, примериванию к себе. Но изначально он чувствует, что для поэта они -- не поза, а искренний серьезный разговор и чаще даже не с читателем, а с самим собой.

Походя отметим, что это вообще любимая позиция Бродского -- беседовать с самим собой в одиночестве. Диалог встречается в нескольких ранних стихах, беседа с читателем крайне

редка, если и есть обращения к кому-либо, то, как правило,
к лицам "за тридевять земель", умершим или небожителям -- то
есть разговор однонаправленный.   В раздумьях о старении поэт останавливается на конкретных деталях, с точки зрения традиционной поэзии весьма натуралистических:

> В полости рта не уступит кариес
> Греции древней по крайней мере.
> Смрадно дыша и треща суставами
> пачкаю зеркало.
>   ("1972 год") [38]

Или в другом стихотворении, затрагивающем эту тему:

> Но, видать, не судьба, и года не те,
> И уже седина стыдно молвить где,
> Больше длинных жил, чем для них кровей,
> Да и мысли мертвых кустов кривей. [39]

Как и во многих других случаях тема старения или тема
болезни превращается в лейтмотивную и появляется в стихотворениях, впрямую ей не посвященных:

> Могу прибавить, что теперь на воре
> уже не шапка -- лысина горит.
>   ("Одной поэтессе") [40]

> Запах старого тела острей, чем его очертанья.
>   ("Колыбельная Трескового Мыса") [41]

> ...   я, прячущий во рту
> развалины почище Парфенона...
>   ("В озерном краю") [42]

Натурализм деталей в данном случае оправдан натурализ-
мом самой жизни -- к сожалению, эти признаки старения -- реальность, а не выдумка, не сгущение красок.

Если тема старения появляется в основном в зрелый период "Конца прекрасной эпохи" и "Части речи", то тема болезни

лейтмотивно проходит через все творчество с самых первых стихотворений:

> Осенний сумрак листья шевелит
> и новыми газетами белеет,
> и цинковыми урнами сереет,
> и облаком над улочкой парит,
> и на посту троллейбус тарахтит,
> вдали река прерывисто светлеет,
> и аленький комок в тебе болеет
> и маленькими залпами палит.
> ("Шествие", 13. Городская элегия,
> Романс усталого человека)[43]

В связи с этим стоит отметить, что тема болезни, умира-
ния и смерти была для Бродского не просто отвлеченным философским интересом, но конкретным личным переживанием. Она
присутствует в его лучших ранних стихах: "Художник", "Стихи
под эпиграфом", "Рыбы зимой", "И вечный бой...", "Гладиато-
ры", "Памятник Пушкину", "Стихи о слепых музыкантах", "Стансы" и др. Легче назвать стихотворения, где эта тема не за-
трагивается. Знаменательно, что во многих стихотворениях
Бродский размышляет конкретно о своей смерти, а не только о
смерти вообще:

> Ни страны, ни погоста
> не хочу выбирать.
> На Васильевский остров
> я приду умирать.
> Твой фасад темносиний
> я впотьмах не найду,
> между выцветших линий
> на асфальт упаду.
> ("Стансы")[44]

Лейтмотивной темой ряда стихотворений является тема
"сумасшествия" -- ожидание его или переживание неминуемой
или миновавшей угрозы:

Наступила зима. Песнопевец,
не сошедший с ума, не умолкший...[45]
        ("Орфей и Артемида")

В эту зиму с ума
я опять не сошел. А зима,
глядь и кончилась...
        ("Стихи в апреле")[46]

                -- через
двадцать лет, окружен опекой
по причине безумия, в дом с аптекой
я приду пешком.
        ("Прощайте, мадмуазель Вероника")[47]

Тема старения и болезни человека непосредственно связана с темой страха смерти, а через нее с осознанием оппозиции
"человек :: вещь" как отношения переживающей свое существование и страдающей материи к материи, лишенной сознания и бес-
чувственной.

Перед лицом времени человек и вещь ничем не отличаются
друг от друга, представляя собой лишь сгустки материи, рано
или поздно обреченные на распад. Человек же знает, что обык-
новенно вещи живут намного дольше, отсюда его зависть к ве-
щам, к их долгожительству, к отсутствию в них боли, страдания, старения, страха смерти. Освободиться от всего этого
человек может лишь в результате смерти, которая и знаменует
переход человека в вещь:

        Вот оно -- то, о чем я глаголаю:
        о превращении тела в голую
        вещь! Ни горе не гляжу, ни долу я,
        но в пустоту -- чем ее ни высветли.
        Это и к лучшему. Чувство ужаса
        вещи не свойственно. Так что лужица
        подле вещи не обнаружится,
        даже если вещица при смерти.
                ("1972 год")[48]

Все это говорится, конечно, не из тайной зависти к вещи, а для того, чтобы раскрыть для себя и для людей весь тра-
гизм их существования, о котором они стараются не думать, вы-
тесняя мысли о смерти на второй план, то есть при полном осознании конечности человеческого бытия как бы допуская свое
бессмертие: "Смерть -- это то, что бывает с другими." В результате такой настроенности поэзии Бродского, она звучит как
призыв к человеку смело взглянуть в глаза своему битию в мире, осознать его трагичность и начать жить подлинной жизнью --
позиция во многих чертах напоминающая экзистенциалистскую.
В качестве итога к этой главе мы попытаемся сформулировать
основные положения поэтической философии Бродского в таком
виде как она нам представляется, еще раз напомнив читателю
о неизбежной искусственности такого анализа и его свободны-
ми манипуляциями с поэтическим текстом.

6. Попытка синтеза

Говоря о метафизической тематике стихотворений Бродского, я пытался рассмотреть ее на фоне философской лирики тех
поэтов, которые кажутся мне наиболее близкими ему по духу
своего творчества. Философские темы так или иначе мелькали
и у других, однако вряд ли они могли привлечь внимание Бродского.

Русские любомудры-шеллингианцы, провозгласившие необхо-
димость слияния поэзии с философией, в своих поэтических опы-
тах ушли от "любо", а к "мудрию" так и не пришли, да к тому
же, за исключением разве нескольких вещей рано умершего Ве-
невитинова, их стихи были по большей части беспомощны в поэтическом отношении.

Несомненный интерес Бродского как к русским классицис-
там, так и к Баратынскому, Тютчеву и отчасти Фету полностью
не объясняет его интереса к метафизической поэзии и не сви-
детельствует о близости мировоззрения и сходности тем. При
сопоставлении Бродского с его литературными предшественника-
ми скорее обнаруживается глубокая разница его мировоззрения,
чем какая-либо отдаленная приемственность.

Вообще попытка рассматривать метафизические темы Бродского в контексте русской поэзии есть во многом дань литературоведческой традиции, как бы негласно условившейся счи-

тать лишь поэтические влияния влияниями, упуская из виду,
что поэт получает "сырой материал" для своего творчества
отовсюду, и помимо поэзии русской и зарубежной (говоря только о письменных источниках) есть художественная проза, на-
учная проза и, наконец, философия всех народов на всех язы-
ках. При наличии в двадцатом веке миллионов книг, энцикло-
педий и словарей, которые могли бы привлечь внимание поэта
(не говоря уже о журналах, газетах, кино, теле- и радиопере-
дачах, встречах, диспутах и симпозиумах), поиски источников
тех или иных знаний или впечатлений превращают литературове-
да в детектива, основным методом которого является гадание
на кофейной гуще. Поэтому, оставив вопрос о генезисе философских взглядов поэта, рассмотрим то, что дает нам материа-
ал его поэзии собственно, отложив до поры до времени как рассуждения о влияниях, так и привлечение в поддержку высказы-
ваний Бродского о литературе вне поэтического контекста --
статьях, выступлениях, беседах, интервью и т.п.

   В основе поэтического мировоззрения Бродского лежит отношение живой субстанции, и в частности человека, к мирозданию. На этом уровне Бродский оперирует основными понятиями
своей философии, которые выстраиваются в несколько стройных
тесно связанных между собой оппозиций: время :: пространство,
человек :: время, человек :: пространство, жизнь :: небытие,
человек :: Бог, неверие :: вера, время :: творчество. На
уровне индивидуальной экзистенции оппозиции: человек :: вещь,

любовь :: одиночество, страх смерти :: борьба со временем.

Время -- верховный правитель мироздания, оно же и великий разрушитель. Время поглощает все, разрушает все, все обезличивает. Во взглядах на время как неумолимую разрушительную стихию, с которой бесполезно бороться, ибо время всепобеждающе, Бродский наиболее близок к взглядам древних греков, с одной стороны, и экзистенциалистов, с другой. Это высшее место времени (у Бродского это слово часто пишется с заглавной буквы) в иерархии мироздания неоднократно подчеркивается поэтом. Время -- абсолютный хозяин всего, все остальное, что не время, -- вещи, принадлежащие хозяину, иными словами, вещное (вре́менное) четко противопоставляется временно́му. Поэт отличается от других людей тем, что он ясно осознает это различие, его глаз "всегда готов отличить владельца /от товаров, брошенных вперемежку /(т.е. время -- от жизни)". Время в поэзии Бродского всегда выступает как стихия враждебная, ибо его основная деятельность направлена на разрушение. Отсюда время -- враг как человека, так и всего, что дорого человеку и что им создано. Результат действия времени -- осколки, развалины, руины -- слова, часто встречающиеся в близких смысловых контекстах распада, будь то речь о вещах, зданиях, бабочке или человеческом организме: "развалины есть праздник кислорода и времени". Время -- генеральный разрушитель, который "варварским взглядом обводит форум". Человеку время приносит старость и смерть. Это соединение двух тем -- времени и смерти -- очень характерно для поэзии Бродского. Время -- палач, активная сила, приводящая к смерти: "Жужжащее, как насекомое, /время нашло, наконец, искомое /лакомство в твердом моем затылке". Конечный результат всей живой и неживой материи -- пыль, которую Бродский называет "плотью времени".

Второй по важности категорией в иерархии мироздания у Бродского является пространство, которое включает как географические территории, так и весь вещный мир вообще. Вечность (прочность) времени противопоставляется вещности (порочности) пространства, в понятие которого включается и человек:

> Состоя из любви, грязных слов, страха смерти, праха,
> осязая хрупкость кости, уязвимость паха,
> тело служит ввиду океана цедящей семя
> крайней плотью пространства: слезой скулу серебря,
> человек есть конец самого себя
> и вдается во Время.
> ("Колыбельная Трескового Мыса")[49]

Человек является "крайней плотью пространства" лишь географически, по форме. По внутреннему же содержанию он, как и вся живая материя, относится Бродским к категории времени:

> Время больше пространства. Пространство -- вещь.
> Время же, в сущности, мысль о вещи.
> Жизнь -- форма времени. Карп и лещ --
> сгустки его. И товар похлеще --
> сгустки. Включая волну и твердь
> суши. Включая смерть.
> ("Колыбельная Трескового Мыса")[50]

Однако, если живой человек ("товар похлеще") является сгустком времени, то смерть (тоже вид времени) превращает его в вещь -- голое пространство. Иными словами, смерть для человека -- это распад дихотомии "время -- пространство" в нем.

Пространство всегда играет подчиненную роль по отношению ко времени, призванному его разрушать. Деятельность времени по разрушению пространства -- основной закон мироздания,
выводимый из поэтической философии Бродского.

Человек стоит лишь на третьем месте в иерархии мироздания, которое вряд ли существует для него ("цель не мы").
Вопрос о цели не решен у Бродского окончательно, ибо упирает-
ся в познание намерений Творца, непостижимых для человека.
В поэтической философии поэта превалируют скептицизм и пессимизм, не позволяющие ему верить в какой-либо "благоприят-
ный исход для человека", т.е. возможное сохранение дихотомии
"время -- пространство" (в христианском понимании "душа")
после смерти. Отсюда и постоянная тема страха смерти в его
творчестве, страха превращения человека в пустоту, в ничто.
Отсюда же философская категория Ничто (Пустота) с большой
буквы, заменяющая иллюзорные понятия Ада и Рая.

Тем не менее ни скептицизм, ни пессимизм не исключают
для поэта существования Создателя. Более того, вера в Бога,
хоть она и является "почтой в один конец", признается поэтом
за один из критериев моральности индивидуума: "неверье --
слепота, а чаще свинство". Другое дело, что вера (как и существование Творца) совсем не обязана автоматически обеспе-
чивать человеку бессмертие. Вера -- скорее надежда, нежели
договор.

В плане личной экзистенции позиция Бродского во многом
близка моральным нормам Христианства.   К сожалению, эти нормы (или другие, сходные с ними) мало характерны для людей
вообще, независимо от их национальности и культуры.   Поэт
согласен с оценкой Пушкина о том, что "на всех стихиях человек -- тиран, предатель или узник".   В этом смысле следует трактовать и некоторую мизантропию поэта, возникшую в результате разочарования в человеке как существе моральном.
Не в одном стихотворении Бродский "отводит взор от /челове-
ка и поднимает ворот".   Такое отношение обусловливается также и непониманием самими людьми всей трагичности их существования, попытками приспособиться к мирозданию:

        Внешность их не по мне.
        Лицами их привит
        к жизни какой-то не-
        покидаемый вид.

        Что-то в их лицах есть,
        что противно уму.
        Что выражает лесть
        неизвестно кому.
                      ("Натюрморт")[51]

    Поэт угадывает, что в конечном счете не духовное явля-
ется двигателем жизни, а физическое (выживание).   Компромис-
сом того и другого является приспособление -- основной закон
человеческой жизни, вмещающей в себя и веру в Бога как средство обмануть повсюду подстораживающую смерть:

        Здесь, на земле,
    от нежности до умоисступленья
    все формы жизни есть приспособленье.
        И в том числе
        взгляд в потолок

> и жажда слиться с Богом, как с пейзажем,
> в котором нас разыскивает, скажем,
> один стрелок.
> ("Разговор с небожителем")[52]

В плане личной экзистенции самыми сильными чувствами
человека, помимо страха смерти, являются любовь и одиночество. Чувства эти образуют оппозицию, они в поэзии Бродского
связаны определенными причинно-следственными отношениями:
любовь -- это разлука с одиночеством, одиночество -- разлука с любовью. Любовь -- понятие широкое, включающее в себя
и любовь к женщине, и любовь к родине, и к друзьям, и к мо-
лодости, и к утраченным иллюзиям. Общая схема человеческой
экзистенции в такой трактовке представляется неизменной трех-
членной формулой последовательности: любовь -- разлука --
одиночество. Разлука, ведущая к одиночеству, становится не-
избежностью для любых проявлений человеческой жизни: "тех
нет объятий, чтоб не разошлись /как стрелки в полночь." Даже заветная мечта человечества о бессмертии при ее осущест-
влении не избежала бы фатальности этой формулы: "Но даже
мысль о -- как его! -- бессмертьи /есть мысль об одиночестве, мой друг." Онтологический и антропологический уровни
можно объединить, по мнению поэта, только одним средством --
творчеством. Творчество -- единственный способ борьбы со
временем, который имеет шанс одержать победу в этой борьбе.
Причем из всех видов творчества наиболее живучим оказывается слово, которое было в начале и которое будет всегда. Все
остальные плоды человеческого труда превращаются рано или

поздно в руины. Слово же является и связующим звеном между прошлым и будущим: "О своем -- и о любом -- грядущем /я узнавал у буквы, у черной краски." Тема "части речи", остающейся от человека и не умирающей, придает оптимизм конечным выводам Бродского о жизни. Стихи переживают поэтов, поэты живут в стихах и через них в потомках: "Я войду в одне. Вы -- в тыщу." Стихи помогают поэту отыскать в стене времени туннель, ведущий в будущее. Отсюда и оптимистический призыв поэта: "Бей в барабан, пока держишь палочки!", доверие к ножницам судьбы, благодарность Небесам за талант:

> Благодарю...
> Верней, ума последняя крупица
> благодарит, что не дал прилепиться
> к тем кущам, корпусам и словарю,
> что ты не в масть
> моим задаткам, комплексам и форам
> зашел -- и не придал их жалким формам
> меня во власть.
> ("Разговор с небожителем")[53]

Заканчивая обзор общих понятий поэтической философии Бродского, отметим, что они не отражаются в творчестве поэта последовательно, в виде отказа от одних и перехода к другим, подъема со ступеньки на ступеньку. Наоборот, каждое новое стихотворение -- это новый текст, включающий тот или иной набор тех же (и новых) тем, как будто бы ничего не ясно, и все вопросы нужно решать заново. В этом и сложность, и новизна, и притягательная сила стихов Бродского, не только вовлекающих читателя в сферу высокого искусства, но и в чем-то изменяющих его отношение к миру и человеку.

7. Империя

Метод метафизической поэзии как и философии в целом в конечном счете можно определить как обобщение -- на основе анализа частных сходных явлений мыслитель приходит к определенному выводу о сути любого из них, типизирует, вычленяет их постоянные неменяющиеся черты, пренебрегая случайными и временными. Такими вычленениями у Бродского являются размышления о сущности понятия "империя".

Империя -- это типичная для человеческого общества структура жизни, не только в политическом, но и во всех других мыслимых ее аспектах, империя -- это квинтэссенция человеческих взаимоотношений, которая показала себя в работе на деле, в отличие от всех идеальных и прекрасных утопий, будь они социалистического или теологического толка. Поэт, рассуждая о сущности явления, отвлекается от таких частностей как данная страна, нация, политический строй, правитель, время, язык, политические деятели и т.п. Империи существовали до нашей эры, в нашу эру и будут существовать после нашей эры (отсюда название цикла стихотворений Post Aetatem Nostram,[54] в котором тема империи раскрывается наиболее сильно). Отсюда же и решение говорить об империи в традиционных терминах римской действительности, хотя только лишь в терминах, ибо то, о чем говорится, одинаково применимо к любому времени и к любой власти.

Тем не менее, так как Бродский -- поэт русский, а не
римский, он иногда приводит реальные случаи из жизни империи советской, что в общем не меняет ничего в силу характер-
ности этих явлений для любой власти вообще. "Император" или
"тиран" -- это тиран любой, Сталин ли, Гитлер ли, Мао или
Нерон -- безразлично. Так же безразлично какой народ испытывает власть императора -- их взаимоотношения всегда оди-
наковы, как будто запрограммированы самой сутью власти одного над многими. Вот император приезжает в город, и вот типичная реакция на него народа:

>"Империя -- страна для дураков."
>Движенье перекрыто по причине
>приезда Императора. Толпа
>теснит легионеров -- песни, крики;
>но паланкин закрыт. Объект любви
>не хочет быть объектом любопытства.

В том и заключается сила обобщения, что перерастает
рамки данного: император -- это и цезарь, и кайзер, и дуче,
и генсек, и любой у власти, толпа -- народ, легионеры -- ми-
лиционеры, полицейские, любая спецслужба, паланкин -- любое
средство транспортировки вождя от древнеегипетских колесниц
до современных "ролс-ройсов" и "чаек", наконец типично и по-
ведение "объекта любви", скрывающегося от взглядов народа
(вспомним султанов, запрещавших глядеть на них, и лучников,
поражавших стрелой каждого любопытного, тайком выглядывавше-
го из окна).

Более современные параллели напрашиваются сами собой.

Империя -- это структура человеческого общежития, захватывающая все его сферы от внешней политики до личной жизни. Во всех империях одинаково наказывают провинившихся по одинаково ничтожному поводу и одинаково находят виновных сверху донизу по лесенке рангов вплоть до "врага народа", который изначально виноват в случившемся и которого надо физически уничтожить:

> Наместник, босиком, собственноручно
> кровавит морду местному царю
> за трех голубок, угоревших в тесте
> (в момент разделки пирога взлетевших,
> но тотчас же попадавших на стол).
> Испорчен праздник, если не карьера.
>
> Царь молча извивается на мокром
> полу под мощным, жилистым коленом
> Наместника. Благоуханье роз
> туманит стены. Слуги безучастно
> глядят перед собой, как изваянья.
> Но в гладком камне отраженья нет.
>
> В неверном свете северной луны,
> свернувшись у трубы дворцовой кухни,
> бродяга-грек в обнимку с кошкой смотрят,
> как два раба выносят из дверей
> труп повара, завернутый в рогожу,
> и медленно спускаются к реке.
> Шуршит щебенка.
>   Человек на крыше
> старается зажать кошачью пасть.

Во всех империях вводятся строгие законы по борьбе с нарушителями порядка, в категорию которых попадают и инакомыслящие, и "тунеядцы", и просто люди, которые попали под горячую руку эпохи и обвинены ни за что. Тюрьма -- изнанка империи, число "сидящих" в которой всегда примерно одно, а потому есть ли смысл разбираться кто прав, кто виноват, процент есть процент, и общая цифра "сидящих" важнее их личных

судеб:

> Подсчитано когда-то, что обычно --
> в сатрапиях, во время фараонов,
> у мусульман, в эпоху христианства --
> сидело иль бывало казнено
> примерно шесть процентов населенья.
> Поэтому еще сто лет назад
> дед нынешнего цезаря задумал
> реформу правосудья. Отменив
> безнравственный обычай смертной казни,
> он с помощью особого закона
> те шесть процентов сократил до двух,
> обязанных сидеть в тюрьме, конечно,
> пожизненно. Неважно, совершил ли
> ты преступленье или невиновен;
> закон, по сути дела, как налог.

Башня, поставленная заглавием этого стихотворения, является символом имперской власти, она одновременно и муниципалитет и тюрьма, ее шпиль -- и громоотвод, и маяк, и место подъема государственного флага. Башня -- один из обязательных институтов империи, единица обязательного набора: дворец (правительственная власть), башня (наглядное свидетельство осуществления этой власти) и зверинец (воплощение неумирающего лозунга человечества "хлеба и зрелищ!").

Предсказуемым для имперской власти является и ее отношение к искусству, которое должно служить ей и воспевать ее, -- отсюда и грандиозность официального имперского искусства с одной стороны и его тяга к монументальному реализму с другой:

> Если вдруг забредаешь в каменную траву,
> выглядящую в мраморе лучше, чем наяву,
> иль замечаешь фавна, предавшегося возне
> с нимфой, и оба в бронзе счастливее, чем во сне,

можешь выпустить посох из натруженных рук:
              ты в Империи, друг.
                                    ("Торс")[55]

Иронически поэт говорит о тех произведениях литературы, которые иные читатели считают смелыми, хотя смелость эта зачастую ограничена очень твердыми рамками гос- и самоцензуры (в имперском обществе официальный поэт сам знает что можно, а что нельзя), а иногда на поверку оборачивается угодничеством:

> В расклеенном на уличных щитах
> "Послании к властителям" известный,
> известный местный кифаред, кипя
> негодованьем, смело выступает
> с призывом Императора убрать
> (на следующей строчке) с медных денег.
>
> Толпа жестикулирует. Юнцы,
> седые старцы, зрелые мужчины
> и знающие грамоте гетеры
> единогласно утверждают, что
> "такого прежде не было" -- при этом
> не уточняя, именно чего
> "такого":
>   мужества или холуйства.
>
> Поэзия, должно быть,состоит
> в отсутствии отчетливой границы.

В данном случае под "известным местным кифаредом" стоит реальное лицо -- поэт Андрей Вознесенский с его стихотворением-призывом убрать Ленина с денег:

> Я не знаю, как это сделать,
> Но, товарищи из ЦК,
> Уберите Ленина
>   с денег,
>   Так цена его высока.[56]

И далее:

> Я видал, как подлец мусолил
> По Владимиру Ильичу.
> Пальцы ползали
> малосольные
> По лицу его, по лицу.

Положение дел при любой имперской системе -- борьба за власть, а следовательно, доносы, интриги, нечестные махинации, подкупы, обман. В стихотворении "Письма римскому другу" герой предпочитает отойти от общественной деятельности и жить подальше от столицы, где главными занятиями приближенных Цезаря являются интриги да обжорство:

> Пусть и вправду, Постум, курица не птица,
> но с куриными мозгами хватишь горя.
> Если выпало в Империи родиться,
> лучше жить в глухой провинции у моря.
>
> И от Цезаря далеко, и от вьюги.
> Лебезить не нужно, трусить, торопиться.
> Говоришь, что все наместники -- ворюги?
> Но ворюга мне милей, чем кровопийца.[57]

Зрелища в империях представляют массовый, организованный характер; "всенародное ликование" -- не выдумка, а реальная реакция зрителей на то, что происходит на стадионе, который весь "одно большое ухо" ("Post Aetatem Nostram"). Имперские власти придают огромное значение всяким зрелищам и юбилеям, ибо знают, что "для праздника толпе /совсем не обязательна свобода" ("Anno Domini"). Интересно, что тема "зрелищ" -- давняя у Бродского, звучит уже в "Гладиаторах", где поэт, правда, находится еще не в публике, а на арене:

> Близится наше время.
> Люди уже расселись.
> Мы умрем на арене.
>
> Людям хочется зрелищ.[58]

По-видимому, Бродский не видит большой разницы между демократиями и тоталитарными государствами, так как везде есть власть имущие и безвластные. Переезд из СССР в США -- это для него лишь "перемена империи". Есть империи похуже, есть получше, но суть их для поэта одна и та же. Поэт считает, что человек в общем всегда жил так, как жил всегда и всегда будет так жить, отклонения вправо или влево общей картины жизни не меняют:

                    Пеон
         как прежде будет взмахивать мотыгой
         под жарким солнцем. Человек в очках
         листать в кофейне будет с грустью Маркса.
         И ящерица на валуне, задрав
         головку в небо, будет наблюдать

         полет космического аппарата.
                    ("Мексиканский дивертисмент",
                     Заметка для энциклопедии)[59]

     Такая точка зрения была характерна для взглядов поэта, в общем, изначально, нота неизменности мира звучит уже в "Пилигримах":

              ... мир останется прежним.

              Да. Останется прежним.
              Ослепительно снежным.
              И сомнительно нежным.
              Мир останется лживым.
              Мир останется вечным.
              Может быть, постижимым,
              но все-таки бесконечным.
              И значит, не будет толка
              от веры в себя да в Бога.
              И значит, остались только
              Иллюзия и дорога.[60]

     Эта же далеко не оптимистическая нота характерна и для поэзии Бродского пятнадцать лет спустя, нота, заданная еще

Пушкиным, сказавшим, что "на всех стихиях человек -- тиран,

предатель или узник":[61]

> Скушно жить, мой Евгений. Куда ни странствуй,
> всюду жестокость и тупость воскликнут: "Здравствуй,
> вот и мы!" Лень загонять в стихи их.
> Как сказано у поэта "на всех стихиях..."
> Далеко же видел, сидя в родных болотах!
> От себя добавлю: на всех широтах.
> > ("Мексиканский дивертисмент",
> > К Евгению)[62]

8. Одиночество. Часть речи

Отчуждение личности от общества и от своей роли приводит человека к "подлинной экзистенции", к "абсолютной свободе". Учение об "абсолютной свободе" детально разработано у Сартра[63] и известно чаще всего в его интерпретации.

"Абсолютная свобода" вовсе не сводится к карамазовскому "все позволено", напротив, свобода -- тяжкое бремя для человека, поэтому многие люди предпочитают уйти от нее, раствориться в обществе, отказаться от права своего личного выбора и подчиниться закону толпы или группы, диктующей законы сегодня.

"Абсолютная свобода" -- это прежде всего свобода выбора себя и несение полной ответственности за этот выбор. Однако "абсолютная свобода" достижима лишь для мужественных людей, не боящихся смотреть прямо в глаза своей экзистенции. Ибо "абсолютная свобода" есть одиночество, которое не каждый человек может вынести. Одиночество -- это одна из "пограничных ситуаций", которые переживаются экзистирующей личностью и приносят ей страдание. Мотив одиночества -- один из доминирующих в поэзии Бродского, прослеживается с самых ранних его стихотворений:

> Как хорошо, что некого винить,
> как хорошо, что ты никем не связан,

как хорошо, что до смерти любить
тебя никто на свете не обязан.

Как хорошо, что никогда во тьму
ничья рука тебя не провожала,
как хорошо на свете одному
идти пешком с шумящего вокзала.

Как хорошо, на родину спеша,
поймать себя в словах неоткровенных
и вдруг понять, как медленно душа
заботится о новых переменах.
                    ("Воротишься на родину...")

Наиболее трагически тема одиночества начинает звучать
в зрелой поэзии Бродского периода сборников "Конец прекрасной эпохи" и "Часть речи", особенно в цикле, давшем название последнему. Так как тема эта лейтмотивная, анализ цикла неизбежно затронет и другие лейтмотивные темы, находящие-
ся в спайке с ней и поэтически неотделимые от нее.

Цикл "Часть речи"[65] кажется наиболее пессимистическим
из всего написанного Бродским. Он состоит из двадцати не-
больших стихотворений без каких-либо заглавий. Почти каждое стихотворение содержит три строфы, соединенные вместе
в одно двенадцатистрочное целое. Все стихотворения цикла
написаны от имени автора и проникнуты мотивами одиночества,
разлуки с любимой, отсутствия веры в искренность дружеской
и читательской поддержки, мотивами временного безразличия к
окружающей среде, к людям, к грядущему. Несколько раз в
стихотворениях слышатся ноты потери ориентации и даже рас-
судка.

Первое стихотворение является экспозицией ко всему цик-

лу. ·Поэт ассоциирует себя с человеком, который сродни герою "Записок сумасшедшего" Гоголя. Его стихи направлены неизвестно откуда, неизвестно когда и неизвестно кому:

> Ниоткуда с любовью, надцатого мартобря,
> дорогой уважаемый милая, но неважно
> даже кто, ибо черт лица, говоря
> откровенно, не вспомнить уже, не ваш, но
> и ничей верный друг   ...

Расплывчатость, размытость границ времени и пространства характерна для многих стихотворений этого цикла. Поэт замкнулся, ушел в себя, потерял интерес к постижению окружающего мира в терминах привычных и точных понятий и назва-
ний, он обращается к читателю не из Америки, а "... с одного /из пяти континентов, держащегося на ковбоях;". Место,
в котором он живет, невозможно найти на карте -- это "горо-
док, занесенный снегом по ручку двери", затерянный где-то в
пространстве так же, как и другие места, о которых размышляет поэт: "Ты забыла деревню, затерянную в болотах /залесен-
ной губернии". В одном из стихотворений действие происходит
около несуществующего Средизимнего моря -- каламбур, сходный
по отдалению от реальности с "мартобрем" первого. Эта недискриминативность в других случаях становится приемом, которым поэт пользуется, чтобы избежать точного названия места
действия, о котором читатель и так может легко догадаться по
смыслу "Я родился и вырос в балтийских болотах", "В городке,
из которого смерть расползалась по школьной карте", "в раз-
девалке в восточном конце Европы". В этом смысле цикл явля-

ется разительным контрастом по сравнению со стихотворениями

жанра "туристического комментария" с их точными указаниями

времени года, стран, городов, морей, архитектурных памятни-

ков и исторических событий.

В "Части речи" вся история, вся культура, весь реальный

мир находятся за пределами поэтического восприятия, имеются

лишь отдельные обломки этого мира, невесть почему всплывшие

на поверхность поэтического сознания и неизвестно чем друг

с другом связанные. Мир, в который помещен поэт, зачастую

лишен карт и календарей, время года определяется вовсе не по

известной последовательности чередования, а по внешним при-

метам, как в сознании первобытного человека: "потому что каб-

лук оставляет следы -- зима"; таким же прихотливым образом

исчисляется и время: "за рубашкой в комод полезешь, и день

потерян". Имеется отвлеченный дом, где живет герой, отвле-

ченная улица, на которую он выходит из этого дома, отвлечен-

ный городской или сельский пейзаж, реальный или возникающий

в его воображении, причудливо сочетающиеся обрывки прошлой

и настоящей жизни.

Поэт воздерживается от философских и исторических обо-

бщений, все, что он испытывает, крайне лично и эзотерично,

вместо законченных рисунков -- наброски, произвольный калей-

доскоп впечатлений и размышлений. Однако несвязанность эта

обманчива, ибо весь цикл объединен лейтмотивом обреченности,

одиночества, невыводимости из тупика. При разной тематике

стихотворения также объединены силой и искренностью передаваемого чувства и новизной пессимистического восприятия.

В первом стихотворении из иллюзорного мира гоголевского сумасшедшего вдруг происходит резкий скачок в реальность -- поэт ночью, лежа в кровати, болезненно ощущает разлуку с любимой не только мозгом, но и телом, которое страдает не меньше, чем мозг, заставляя поэта извиваться на простыне:

> я взбиваю подушку мычащим "ты"
> за морями, которым конца и края,
> в темноте всем телом твои черты,
> как безумное зеркало повторяя.

Такими же необычными являются и другие описания сиюминутных состояний, настроений и мыслей поэта:

> Улица. Некоторые дома
> лучше других: больше вещей в витринах,
> и хотя бы уж тем, что если сойдешь с ума,
> то, во всяком случае, не внутри них.

Эти настроения и состояния иллюстрируются неожиданными сравнениями и парадоксальными умозаключениями. Художественная действительность складывается из двух-трех импрессионистических деталей; каждое из стихотворений, таким образом, становится отрывком (частью) речи, включающим ряд наблюдений. Иногда наблюдения завершаются концовкой-выводом. Например, говоря о себе как о поэте, родившемся "в балтийских болотах", Бродский переходит к вопросу об искренности в поэзии и заканчивает стихотворение оригинальным умозаключением:

> В этих плоских краях то и хранит от фальши
> сердце, что скрыться негде и видно дальше.
> Это только для звука пространство всегда помеха:
> глаз не посетует на недостаток эха.

Замечательно, что все чувства поэта выражены каким-то новым способом, который близок манере Пруста, Кафки и Бруно Шульца и который можно определить термином "психологический имэкспрессионизм". Эта новизна поэтического видения лишена излишнего чувственного накала, психологической истерии. Притупленность, приглушенность стиха служат катализаторами искренности и силы его интеллектуального трагизма:

> Замерзая, я вижу, как за моря
> солнце садится, и никого кругом.
> То ли по льду каблук скользит, то ли сама земля
> закругляется под каблуком.
>
> И в гортани моей, где положен смех
> или речь, или горячий чай,
> все отчетливей раздается снег
> и чернеет, что твой Седов, "прощай".

Одиночество, безлюдие, безвременье заставляют поэта уноситься мыслями или в прошлое или в будущее, но нигде он не находит ничего отрадного, ибо и прошлое и будущее одинаково тупиково из-за своей связи с сегодняшним. Перед мысленным взглядом поэта из прошлого возникает комната в деревенском доме, где он жил со своей любимой. В настоящем же он представляет пьяного соседа, который что-то мастерит из спинки их кровати. Заканчивается стихотворение картиной полного запустения -- результата разгрома жизни и любви временем:

> И не в ситцах в окне невеста, а праздник пыли
> да пустое место, где мы любили.

В другом стихотворении поэт метафорически представляет себя моллюском из прошлого, откопав который, будущие поколения обнаружат характерное для него материализовавшееся чув-

ство одиночества. Метафора эта задается еще в предыдущей
строфе, в которой в контексте "настоящего" поэт пьет вино
и размышляет о жизни:

> Зимний вечер с вином в нигде.
> Веранда под натиском ивняка.
> Тело покоится на локте,
> как морена вне ледника.
>
> Через тыщу лет из-за штор моллюск
> извлекут с проступившим сквозь бахрому
> оттиском "доброй ночи" уст
> не имевших сказать кому.

Чувством чужбинности и одиночества проникнуто третье
стихотворение цикла, необычное по своей сплошной образности,
лежащей целиком в тематике "татарского ига". Как и в других стихотворениях поэт находится вне точного времени и пространства, известно лишь время года -- осень -- и обобщен-
ная чужбинная обстановка -- деревянный дом в чужой земле.
Образная ассоциация осени на чужбине с далекими по времени
событиями "Слова о полку Игореве" усиливает атмосферу отчужденности, в которой происходит переход героя от реальности
к воспоминаниям:

> И, глаза закатывая к потолку,
> я не слово о номер забыл говорю полку,
> но кайсацкое имя язык во рту
> шевелит в ночи, как ярлык в Орду.

Два из стихотворений цикла посвящены теме поэзии. В
первом из них говорится о сетованиях поэта, который лишен
необходимой среды людей и ценителей и которому не с кем пре-
ломить "ломоть отрезанный, тихотворение". Слово "тихотворение" -- счастливая находка поэта, переэтимологизация от "ти-

хо" и "творить", подразумевающая как сотворенное в тишине, так и тихое (негромкое) творение, что очень подходит для любого "тихотворения" этого цикла, отличающегося приглушенностью словесной инструментовки. С другой стороны, в этом же слове заложено и значение некоторого сдвига восприятия, временного "тихого помешательства" -- мотив, заданный еще первым стихотворением, а здесь воплощенный в осознании поэтического творчества как способа не сойти с ума:

> Как поздно заполночь ища глазунию
> луны за шторами зажженной спичкою,
> вручную стряхиваешь пыль безумия
> с осколков желтого оскала в писчую.

Жалобы на отсутствие читателя или любого другого вида обратной связи, обеспечивающей "поэтическое эхо", стихотворение впрямую не содержит. Это не вопль отчаяния как у Мандельштама в близких "Части речи" по настроению воронежских стихах: "Читателя! советчика! врача!", а риторический вопрос, на который не ждут ответа. Однако дальнобойность такого нелобового способа выражения чувств нисколько не уступает мандельштамовскому:

> Как эту борзопись, что гуще патоки,
> там ни размазывай, но с кем в колене и
> в локте хотя бы преломить, опять-таки,
> ломоть отрезанный, тихотворение?

Во втором стихотворении о поэзии, давшем название всему циклу, говорится о грядущем, которое представляется поэту в виде стаи мышей, грызущих память, дырявую как сыр. Вместо жалобы и здесь звучит нота стоического пессимизма, в основе которого лежит не разочарование, а понимание сути этого, данного нам без нашего согласия, мира:

> После стольких зим уже безразлично, что
> или кто стоит в углу у окна за шторой,
> и в мозгу раздается не неземное "до",
> но ее шуршание.

Поэт уже не надеется на вмешательство высшей силы (то ли Бога, то ли Музы), стоящей за шторой. Его поэзия -- смелое экзистенциалистское понимание существования как "жизни перед лицом ничто", осознание своей полной свободы от иллюзий несбыточного. Тем не менее из-за этого жизнь вовсе не теряет смысла, ибо не все, говоря словами Державина, "алчной вечностью пожрется, и общей не уйдет судьбы", от человека что-то остается людям, это что-то -- его словесное творчество, речевое наследие, часть речи.

9. Кривое зеркало

Читатель (в том числе и читатель-критик) -- кривое зеркало, которое стремится дать прямозеркальное отражение поэтического произведения, но никогда не достигает этого в силу самой сути поэзии -- быть лишь суммой знаков человеческих
эмоций, чувственных или интеллектуальных, под которые каждый
данный "получатель текста" подводит свои конкретные переживания, свой личный чувственный и метафизический опыт, почти
всегда в конкретных чертах существенно отличный от опыта автора. В многозначности и интерпретационной открытости стихотворения -- ключ к его бессмертию, текст тем и жив, что постоянно борется с читательским воображением, вернее, столкновение читательского воображения с поэтическим текстом (с высе-
чением искр и отдачей тепла) и есть стихотворение. Полное
понимание, прямозеркальное отражение, положение при котором
объект абсолютно равен самому себе -- формула смерти, так
же не стимулирующая воображение, не вызывающая его на пое-
динок как 2 x 2 = 4.

В силу этого никакая монография не может исчерпать даже всего, относящегося к одному маленькому стихотворению, не
говоря уже о поэтике, мировоззрении, творчестве, ибо открытость -- неисчерпаема. Литературоведению не стать ни физикой, ни статистикой, ни математикой, поверить гармонию ал-

геброй можно, но перекодировать ее в алгебру нельзя. Стихотворение -- вечный жид, блуждающий в королевстве кривых зер-
кал. Но кривое зеркало кривому зеркалу рознь -- одно иска-
жает укрупняя или умельчая, а другое ставит с ног на голову.
Последний тип отражения не исключает и критиков-специалистов,
которые ломают стихотворение (а порой и все творчество поэта) с целью непременно втиснуть его в прокрустово ложе созданной по их образу и подобию и заготовленной впрок на все
случаи жизни поэтики, при этом иногда теряя из виду сам живой организм стиха. Это -- весьма опасная издержка жанра,
часто осознававшаяся проницательными критиками, которые особенно остро ощущали ее, читая работы других.

В монографии о Блоке Корней Чуковский заметил, что гим-
назистка, разрезающая книгу поэта шпилькой, зачастую в тысячу раз лучше понимает его стихи, чем иной маститый критик.[66]
Сказанное Чуковским в пылу полемического задора, к сожалению,
верно, но дело не только в том крайнем случае, когда вместе
с грязной водой из корыта выплескивают ребенка. Гораздо опас-
нее смещение акцентов, при котором детально исследуют хими-
ческий и физический состав и температуру воды, материал, блеск
и цвет корыта, генеалогию (и гинекологию) греющих воду, ку-
пающих, $\frac{о}{раз}$девающих, целующих и кладущих спать, течение и последовательность подобных ритуалов в других семьях с другими
детьми, при этом начисто забывая о самом дитяте. Биографи-
ческое литературоведение вместо того, чтобы изучать художни-

ка, изучает человека, забавляя читателей байками из его личной жизни, не лишенными собственного интереса, но порой мало связанными с его поэтической биографией.

То же характерно и для гинекологического литературоведения, открывающего полог не над творчеством поэта, а скорей над его постелью. Проблема "спала/не спала" (которая для многих читателей куда интереснее любой поэзии) мало помогает нам в осознании поэтических принципов пушкинского "Чудного мгновенья", не говоря уже о конкретном чувственном и эстетическом восприятии этого шедевра.

Напомню, что здесь речь идет не о литературоведческой практике вообще, а об ее издержках, опасных (а порой и неминуемых) для каждого. Критик -- Одиссей, лавирующий между Сциллой и Харибдой, но в отличие от Одиссея, никогда не могущий выйти из пролива. Такова специфика жанра -- литературоведение не может быть однолико, отражая многоликое, да еще и кривыми зеркалами.

Есть и третья (чуть ли не самая страшная в силу своей незаметности) опасность -- чудовище, притворившееся другом -- сам автор. Лозунг "поэту нужно верить" явно нуждается в пересмотре, ибо поэт то же кривое зеркало, что и читатель по отношению к им же созданному. Говоря и пиша о своем творчестве, он переходит из одной среды в другую, пытаясь логизировать интуитивное. Ответ на вопрос "Как вы пишете стихи?" так же труден для поэта, как и вопрос "Как вы поете?" для тенора. Лучшего ответа, чем "у меня есть голос" или "я думаю, это от Бога" не приищешь, ибо это можно развить, но этому нельзя научиться. Несомненно, поэт знает все о генезисе стихотворения, но знание того, что хотел сказать и что натолкнуло на мысль о том, чтобы сказать, не обязательно характеризует сказанное, как полное воплощение замысленного; слова автора о своем творчестве только тогда важны и могут приводиться в поддержку, когда сам текст выражает художественно то, что комментируется поэтом.

Особенно сложно дело обстоит с образными деталями текста, реальные стимулы к которым поэт может упомянуть. Однако реальный стимул в большинстве случаев не равен образной детали -- здесь мы опять имеем дело с той же пресловутой несоизмеримостью сфер. Вопрос, как случайный стимул преобразуется в необходимую образную деталь текста, выходит из рамок литературоведения собственно в область психологии художественного творчества, критику важно лишь отчетливо сознавать их нетождественность. Подытоживая сказанное: поэт не всегда более приницательный критик, чем любой другой, и его толкования своей поэзии не всегда откровения.

Итак перед критиком-Одиссеем три монстра при неизбежной безвыходности из пролива. Отсюда и упор не столько на абсолютную конечность выводов, сколько на сам процесс лавирования, усугубляющийся в конкретном случае тем, что мы имеем дело с автором-современником в пике своего творчества. Поэтому наша книга всего лишь первое и самое общее приближение к тому живому и развивающемуся явлению русской литературы, которое именуется поэзией Иосифа Бродского.

ПРИМЕЧАНИЯ

Список принятых сокращений для сборников Иосифа Бродского:

СП -- Стихотворения и поэмы, Inter-Language Literary Associates, Washington-New York, 1965

ОП -- Остановка в пустыне, Издательство имени Чехова, Нью-Йорк, 1970

КПЭ -- Конец прекрасной эпохи, Ардис, Анн Арбор, 1977

ЧР -- Часть речи, Ардис, Анн Арбор, 1977

РЭ -- Римские элегии, Руссика, Нью-Йорк, 1982

НСА -- Новые стансы к Августе, Ардис, Анн Арбор, 1983

К первому разделу (Попугайство и соловейство):

[1] Иосиф Бродский. ОП, стр. 36.

[2] Поэты "Искры", Библиотека поэта. Большая серия. "Сов. пис.", Л., 1955, "В Финляндии", стр. 331.

[3] Пример похищен из: Д. Самойлов. Книга о русской рифме. "Худ. лит.", Москва, 1973, стр. 165.

[4] Владимир Маяковский. Полное собрание сочинений в 13 томах. "Худ. лит.", М., 1955, "Пустяк у Оки", т. 1, стр. 91.

[5] Николай Асеев. Стихотворения и поэмы. Библиотека поэта. Большая серия. "Сов. пис.", Л., 1967, стр. 95.

[6] Владимир Маяковский. Указ. соч., "Хорошо!", т. 8, стр. 328.

[7] Велимир Хлебников. Собрание произведений, Л., 1933, т. 5, стр. 43.

[8] Борис Пастернак. Стихотворения и поэмы. Библиотека поэта. Большая серия. М.-Л., 1965, стр. 282.

[9] Иосиф Бродский. КПЭ, стр. 71-72.

[10] Владислав Ходасевич. Путем зерна. Изд. второе. "Мысль", Петроград, 1921, стр. 41.

[11] А.С. Пушкин. Полное соб. соч. в десяти томах. Изд. Академии Наук СССР, М., 1957, т. III, стр. 86.

[12] The Works of George Herbert. ed. F.E. Hutchinson, Oxford University Press, London, 1970, p. 166.

[13] отстранение -- позиция поэта, держащегося на определенной эмоциональной дистанции от выражаемого в стихотворении (detachment). Не путать с "остранением" -- представлением действительности в странном для знающего ее читателя виде, и "осранением" -- очернением действительности.

[14] Осип Мандельштам. Собрание сочинений в трех томах. Под ред. Г.П. Струве и Б.А. Филиппова, Международное Литературное Содружество, 1967, т. I, стр. 221.

[15] Похожие анапесты встречаются, например, у Кольцова:

> И те ж люди-враги, что чуждались тебя,
> Бог уж ведает как, назовутся в друзья.
> ("Товарищу")

и у Некрасова:

> Я за то глубоко презираю себя,
> Что живу -- день за днем бесполезно губя;
> Что я, силы своей не пытав ни на чем,
> Осудил себя сам беспощадным судом.

[16] Александр Блок. Собрание сочинений в восьми томах. "Худ. лит.", М.-Л., 1960, "Незнакомка", стр. 186.

[17] Владимир Маяковский. Указ. соч., "Облако в штанах", т. I, стр. 180.

[18] Анна Ахматова. Стихотворения и поэмы. Библиотека поэта. Большая серия. "Сов. пис.", Л., 1976, "Песня последней встречи", стр. 30.

[19] Борис Пастернак. Стихотворения и поэмы. Библиотека поэта. Большая серия. "Сов. пис.", М.-Л., 1965, "Марбург", стр. 107.

[20] Иосиф Бродский, ЧР, стр. 32-38.

[21] Строго говоря, ломоносовский "Кузнечик" не оригинальное произведение, а вольный перевод из Анакреона.

[22] The Works of George Herbert ed. F.E. Hutchinson, Oxford UP, London, 1970, p. 91.

[23] Г.Р. Державин. Стихотворения. Библиотека поэта. Малая серия. "Сов. пис.", Л., 1947, стр. 41.

[24] К.Д. Бальмонт. Стихотворения. Библиотека поэта. Большая серия. "Сов. пис.", Л., 1969, стр. 216.

[25] Иосиф Бродский. "Предисловие" в кн.: Марина Цветаева. Избранная проза в двух томах. Изд. Руссика, Нью-Йорк, 1979, т. I, стр. 2.

[26] Перекрестки. Альманах. Crossroads, Philadelphia, 1978, # 2, p. 10.

[27] Игорь Северянин. Громокипящий кубок. М., 1915, "Кэнзели", стр. 95.

[28] Modern Russian Poetry (An Anthology), ed. V. Markov & M. Sparks, Bobbs-Merril, New York, p. 16.

[29] Иосиф Бродский. ЧР, стр. 105.

[30] Н.А. Заболоцкий. Стихотворения и поэмы. Библиотека поэта. Большая серия. "Сов. пис.", М.-Л., 1965, "Осень", стр. 62.

[31] Иосиф Бродский. ЧР, стр. 24.

[32] Иосиф Бродский. КПЭ, стр. 64.

[33] Иосиф Бродский. ЧР, стр. 46.

[34] Иосиф Бродский. КПЭ, стр. 103.

[35] Иосиф Бродский. ЧР, стр. 77.

[36] Иосиф Бродский. КПЭ, стр. 5.

[37] Иосиф Бродский. КПЭ, стр. 104.

[38] Иосиф Бродский. ЧР, стр. 85.

[39] Иосиф Бродский. ЧР, стр. 31.

[40] Иосиф Бродский. ЧР, стр. 100.

[41] Иосиф Бродский. ЧР, стр. 113.

[42] Иосиф Бродский. ОП, стр. 174.

[43] Иосиф Бродский. ЧР, стр. 70.

[44] А.С. Пушкин. Полное соб. соч. в десяти томах. Изд. Академии Наук СССР. М., 1957, т. IIстр. 77.

[45] Иосиф Бродский. КПЭ, стр. 99-100.

[46] Иосиф Бродский. ОП, стр. 98.

[47] Иосиф Бродский. ЧР, стр. 40-43.

[48] "Время и мы", Тель-Авив, № 17, 1977, стр. 133.

[49] Иосиф Бродский. ЧР, стр. 80.

[50] The Complete Poetry of John Donne, ed. J.T. Shawcross, New York-London, 1968, p. 88.

[51] Иосиф Бродский. ОП, стр. 225.

[52] Антиох Кантемир. Собрание стихотворений. Библиотека поэта. Большая серия. "Сов. пис.", Л., 1956, стр. 173-174

[53] Е.А. Баратынский. Стихотворения и поэмы. "Худ. лит.", М., 1971, стр. 190.

[54] А.С. Пушкин. Указ. соч., т. II, стр. 164.

[55] Борис Пастернак. Указ. соч., стр. 441.

[56] М.А. Кузмин. Собрание стихотворений. Ред. Дж. Малмстад и В. Марков. Wilhelm Fink Verlag, München, 1977, v. I, p. 131.

[57] Иосиф Бродский. СП, стр. 94.

[58] Иосиф Бродский. СП, стр. 226.

[59] Иосиф Бродский. КПЭ, стр. 69.

[60] Иосиф Бродский. КПЭ, стр. 69.

[61] Иосиф Бродский. ЧР, стр. 56.

[62] Иосиф Бродский. ЧР, стр. 90.

[63] Иосиф Бродский. РЭ, IX ͜

[64] Иосиф Бродский. ЧР, стр. 92.

[65] Иосиф Бродский. КПЭ, стр. 55.

[66] Иосиф Бродский. ЧР, стр. 85.

[67] Иосиф Бродский. ЧР, стр. 62.

[68] Иосиф Бродский. ЧР, стр. 107.

[69] Иосиф Бродский. ОП, стр. 150.

[70] Иосиф Бродский. КПЭ, стр. 69.

[71] Иосиф Бродский. КПЭ, стр. 92.

[72] Иосиф Бродский. ЧР, стр. 82.

[73] Russica-81, Литературный сборник, Руссика, Нью-Йорк, 1982, стр. 31.

[74] Иосиф Бродский. ОП, стр. 135.

[75] Иосиф Бродский. ЧР, стр. 101.

[76] Иосиф Бродский. ЧР, стр. 86.

[77] Иосиф Бродский. СП, стр. 101.

[78] Иосиф Бродский. КПЭ, стр. 8.

[79] Иосиф Бродский. КПЭ, стр. 10-11.

[80] Иосиф Бродский. ЧР, стр. 105.

[81] Иосиф Бродский. ЧР, стр. 105.

[82] Иосиф Бродский. КПЭ, стр. 89.

[83] Иосиф Бродский. РЭ, III.

[84] Иосиф Бродский. КПЭ, стр. 70.

[85] Иосиф Бродский. ЧР, стр. 61.

[86] Иосиф Бродский. ЧР, стр. 66.

[87] Иосиф Бродский. КПЭ, стр. 111.

[88] Иосиф Бродский. НСА, стр. 21.

[89] Иосиф Бродский. РЭ, I.

[90] Иосиф Бродский. ОП, стр. 196.

[91] Иосиф Бродский. НСА, стр. 95.

[92] Иосиф Бродский. КПЭ, стр. 28.

[93] Иосиф Бродский. ЧР, стр. 65-66.

[94] Иосиф Бродский. ЧР, стр. 102.

[95] Иосиф Бродский. НСА, стр. 144.

[96] Иосиф Бродский. КПЭ, стр. 75-82.

[97] И.С. Тургенев. Стихотворения и поэмы. Библиотека поэта. Большая серия. "Сов. пис.", Л., 1970, стр. 126.

[98] Иосиф Бродский. ОП, стр. 171.

[99] Иосиф Бродский. ОП, стр. 166-168.

[100] Иосиф Бродский. ОП, стр. 26.

[101] Иосиф Бродский. ОП, стр. 90.

[102] Иосиф Бродский. НСА, стр. 88.

[103] Иосиф Бродский. ОП, стр. 173.

[104] Иосиф Бродский. ОП, стр. 135.

[105] Иосиф Бродский. ОП, стр. 177-218.

[106] Иосиф Бродский. КПЭ, стр. 6.

[107] Иосиф Бродский.   КПЭ, стр. 11.

[108] Иосиф Бродский.   КПЭ, стр. 18.

[109] Иосиф Бродский.   КПЭ, стр. 20.

[110] Иосиф Бродский.   КПЭ, стр. 35.

[111] Иосиф Бродский.   КПЭ, стр. 65.

[112] Иосиф Бродский.   КПЭ, стр. 111.

[113] Иосиф Бродский.   ЧР, стр. 57.

[114] Иосиф Бродский.   ЧР, стр. 70.

[115] Иосиф Бродский.   КПЭ, стр. 37.

[116] Иосиф Бродский.   КПЭ, стр. 20.

[117] Иосиф Бродский.   КПЭ, стр. 62.

[118] А.С. Пушкин.   Указ. соч., т. V, гл. 2, стр. 42.

[119] А.С. Пушкин.   Указ. соч., т. III, стр. 353.

[120] Одобренный цензурой вариант вообще неверен, ибо при его подстановке пропадает второй скрытый смысл эпиграммы, который современникам Пушкина, знавшим интимную жизнь светского общества, был вполне понятен.   Князь Дондуков-Корсаков состоял в любовной связи с министром образования Уваровым, который и назначил его на пост вице-президента Академии наук. Так как Дондуков не блистал способностями, все поняли, что он получил этот пост именно потому, на что намекает Пушкин. Об этом см.: Simon Karlinsky.   The Sexual Labyrinth of Nikolai Gogol, Harvard University Press, Cambridge-London, 1976, p. 57.

[121] Владимир Маяковский.   Указ. соч., т. 10, стр. 280.

[122] Иосиф Бродский.   КПЭ, стр. 53.

[123] Анна Ахматова.   Указ. соч., стр. 59.

[124] Анна Ахматова.   Указ. соч., стр. 31.

[125] Иосиф Бродский.   КПЭ, стр. 59.

[126] Иосиф Бродский.   ЧР, стр. 73.

[127] Владимир Маяковский. Указ. соч., т. 1, стр. 40.

[128] Н. Гумилев. Собрание сочинений. Вашингтон, 1964, т. II, стр. 49.

[129] Иосиф Бродский. КПЭ, стр. 91.

[130] Иосиф Бродский. НСА, стр. 120.

[131] Александр Блок. Соб. соч. в восьми томах. "Худ. лит.", М.-Л., 1960, т. III, стр. 64.

[132] Ф.И. Тютчев. Стихотворения. Письма. "Худ. лит.", М., 1957, стр. 232.

[133] Иосиф Бродский. ОП, стр. 130.

[134] Антиох Кантемир. Указ. соч., стр. 216-217.

[135] Иосиф Бродский. ЧР, стр. 44.

[136] Г.Р. Державин. Стихотворения. Библиотека поэта. Малая серия. "Сов. пис.", Л., 1947, "Снигирь", стр. 198-199.

[137] Иосиф Бродский. ЧР, стр. 63.

[138] Поэзия Европы в трех томах. "Худ. лит.", М., 1977, т. I, стр. 518-519.

[139] Иосиф Бродский. ОП, стр. 161.

[140] И.П. Мятлев. Стихотворения. Библиотека поэта. Большая серия. "Сов. пис.", Л., 1969, стр. 157.

[141] И.П. Мятлев. Указ. соч., стр. 182.

[142] The Portable Nietzsche, tr. & ed. W. Kaufmann, The Viking Press, New York, 1954, p. 69.

[143] А.С. Пушкин. Указ. соч., т. II, стр. 286-287.

[144] J.P. Eckermann. Gespräche mit Goethe, F.A. Brockhaus Wiesbaden, 1959, p. 482 (6 Mai 1827).

[145] Ирина Одоевцева. На берегах Невы. Изд. Виктора Камкина, Вашингтон, 1967, стр. 473.

[146] А.С. Пушкин. Указ. соч., т. 10, стр. 242.

[147] Иосиф Бродский. ОП, стр. 99.

[148] Иосиф Бродский. ЧР, стр. 23.

[149] Иосиф Бродский. ОП, стр. 46.

[150] Бытие. Глава 22, стихи 12, 15-18.

[151] Иосиф Бродский. ЧР, стр 111.

[152] Анна Ахматова. Указ. соч., стр. 193.

[153] E.H. Plumptre. The Life of Dante, Dutton, New York, 1900, pp. 216-220.

[154] В этой строфе содержится аллюзия на средневековое убеждение, что черты лица человека передаются буквами во фразе OMO DEI. Примечание Бродского в сборнике стихов на английском языке: Joseph Brodsky. A Part of Speech. Farrar. Straus. Giroux., NY, 1980, p. 151.

[155] А.С. Пушкин. Указ. соч., т. II, стр. 267.

[156] Александр Блок. Указ. соч., т. III, "К Музе", стр. 8.

[157] Анна Ахматова. Указ. соч., стр. 75.

[158] Н.А. Заболоцкий. Указ. соч., "Ивановы", стр. 206.

[159] Иосиф Бродский. ЧР, стр. 25.

[160] Иосиф Бродский. ЧР, стр. 112.

[161] Иосиф Бродский. ЧР, стр. 99.

[162] А.С. Пушкин. Указ. соч., т. IV, стр. 325-326.

Ко второму разделу (Темы и вариации):

[1]Martin Heidegger. Sein und Zeit. Tübingen, 1960, S. 126-127.

[2]Martin Heidegger. Op. cit., S. 174-175.

[3]Иосиф Бродский. ОП, стр. 128.

[4]Иосиф Бродский. ОП, стр. 108.

[5]J.E. Fromm. The Sane Society. New York, 1955, p. 137.

[6]И.Ф. Анненский. Книги отражений. Wilhelm Fink Verlag, München-Allach, 1969, II, p. 10.

[7]Иосиф Бродский. ОП, стр. 94.

[8]Иосиф Бродский. КПЭ, стр. 28.

[9]Иосиф Бродский. ЧР, стр. 9.

[10]Иосиф Бродский. ЧР, стр. 18.

[11]Иосиф Бродский. ЧР, стр. 22.

[12]Иосиф Бродский. ОП, стр. 26.

[13]Л.Н. Толстой. Собрание сочинений в двадцати томах. М., 1964, т. 12, стр. 92-93.

[14]Л.Н. Толстой. Указ. соч., т. 16, стр. 106.

[15]Иосиф Бродский. ОП, стр. 41.

[16]Ф.И. Тютчев. Стихотворения. Письма. М., 1957, стр. 108.

[17]Ф.И. Тютчев. Указ. соч., стр. 175.

[18]А.А. Фет. Вечерние огни. "Наука", М., 1971, стр. 22.

[19]А.А. Фет. Указ. соч., стр. 83.

[20]А.С. Пушкин. Указ. соч., т. I, стр. 326.

[21]Об этом подробно см.: Sister Mary Catharine O'Connor, The Art of Dying Well; the Development of the Ars Moriendi, New York, Columbia University Press, 1942.

[22]The Complete Poetry of John Donne, ed. John T. Shawcross, N.Y.-London, 1968, p. 342.

[23]The Works of George Herbert, ed. F.E. Hutchinson, Oxford UP, London, 1970, p. 185.

[24]М.Ю. Лермонтов. Собрание сочинений в четырех томах. "Худ. лит.", М., 1957, т. I. стр. 237.

[25]Иосиф Бродский. ОП, стр. 41.

[26]Miguel de Unamuno. Poesias. Rojas. Bilbao, 1907, p. 194.

[27]Иосиф Бродский. ОП, стр. 25.

[28]Г.Р. Державин. Указ. соч., стр. 268.

[29]В. Хлебников. Стихотворения и поэмы. Библиотека поэта. Малая серия. "Сов. пис.", Л., 1960, стр. 105.

[30]Осип Мандельштам. Указ. соч., т. II, стр. 243-244.

[31]Г.Р. Державин. Указ. соч., стр. 9.

[32]В.А. Жуковский. Стихотворения. Библиотека поэта. Большая серия. "Сов. пис.", Л., 1956, стр. 229.

[33]Сергей Есенин. Стихотворения и поэмы. Библиотека поэта. Большая серия. "Сов. пис.", Л., 1956, "Не жалею, не зову, не плачу", стр. 167.

[34]Иосиф Бродский. ЧР, стр. 27.

[35]Иосиф Бродский. РЭ, XII.

[36]Иосиф Бродский. НСА, стр. 144.

[37]Иосиф Бродский. КПЭ, стр. 23-24.

[38]Иосиф Бродский. ЧР, стр. 24.

[39]Иосиф Бродский. НСА, стр. 144.

[40]Иосиф Бродский. ОП, стр. 142.

[41] Иосиф Бродский. ЧР, стр. 105.

[42] Иосиф Бродский. ЧР, стр. 28.

[43] Иосиф Бродский. СП, стр. 173.

[44] Иосиф Бродский. СП, стр. 63.

[45] Иосиф Бродский. ОП, стр. 114.

[46] Иосиф Бродский. ОП, стр. 136.

[47] Иосиф Бродский. ОП, стр. 169.

[48] Иосиф Бродский. ЧР, стр. 27.

[49] Иосиф Бродский. ЧР, стр. 109.

[50] Иосиф Бродский. ЧР, стр. 106.

[51] Иосиф Бродский. КПЭ, стр. 109.

[52] Иосиф Бродский. КПЭ, стр. 63.

[53] Иосиф Бродский. КПЭ, стр. 65.

[54] Иосиф Бродский. КПЭ, стр. 85.

[55] Иосиф Бродский. ЧР, стр. 39.

[56] Стихотворение цитируется по книге: Вопросы языка современной русской литературы, изд. "Наука", Москва, 1971, стр. 409.

[57] Иосиф Бродский. ЧР, стр. 12.

[58] Иосиф Бродский. ОП, стр. 32.

[59] Иосиф Бродский. ЧР, стр. 72.

[60] Иосиф Бродский. СП, стр. 66-67.

[61] А.С. Пушкин. Указ. соч., "К Вяземскому", т. II, стр. 311.

[62] Иосиф Бродский. ЧР, стр. 71.

[63] Jean-Paul Sartre. L'Être et le Néant. Paris, 1957.

[64] Иосиф Бродский. СП, стр. 58.

[65] Иосиф Бродский. ЧР, стр. 77-96.

[66] Корней Чуковский. Собрание сочинений в шести томах.
"Худ. лит.", М., 1969, "Александр Блок", т. 6, стр. 525.

ПРЕДМЕТНЫЙ УКАЗАТЕЛЬ

УКАЗАТЕЛЬ ИМЕН

ОБ АВТОРЕ

В СССР Михаил Крепс окончил Ленинградский университет, учился в аспирантуре и преподавал английский язык и литературу в Ленинградском педагогическом институте им. А.И. Герцена.

В США он получил степень доктора философии в Берклейском университете, защитив диссертацию "Сатира и юмор Михаила Зощенко". Преподавал русский язык и литературу в Монтерее, Станфорде и Беркли. В настоящее время Михаил Крепс — профессор русского языка и литературы в Бостонском колледже.

About the Author

Born in Leningrad, Michael Kreps has studied and worked both in Russia and in the USA. He holds a degree in English Literature from Leningrad University and a PhD in Slavic Languages and Literatures from the University of California, Berkeley. He has taught at the Leningrad Pedagogical Institute, at the Monterey Institute of International Studies, and at Stanford and Berkeley Universities. At present he is a professor of Slavic Languages and Literatures at Boston College.